Utopia

Dados Internacionais de Catalogação na Publicação (CIP)
(Câmara Brasileira do Livro, SP, Brasil)

Morus, Thomas, Santo, 1478-1535.
Utopia : sobre a melhor condição de uma república e sobre a nova ilha Utopia / Thomas Morus ; [tradução Leandro Dorval Cardoso]. – Petrópolis, RJ : Vozes, 2016. – (Coleção Vozes de Bolso)

Título original : Utopia

ISBN 978-85-326-5238-6

1. Utopias I. Título. II. Série.

16-01731 CDD-321.07

Índices para catálogo sistemático:

1. Utopias : Ciência política 321.07

Thomas Morus

Utopia

Sobre a melhor condição de uma república e sobre a nova ilha *Utopia*

Tradução de Leandro Dorval Cardoso

Vozes de Bolso

Título original em latim: *Utopia*

Esta tradução foi feita a partir do texto latino publicado originalmente em 1516, conforme a edição: *More: Utopia. Latin text & English Translation*. Edited by George M. Logan, Robert M. Adams & Clarence H. Miller. (Cambridge University Press, 1995).

Rua Frei Luís, 100
25689-900 Petrópolis, RJ
www.vozes.com.br
Brasil

Diretor editorial
Frei Antônio Moser

Editores
Aline dos Santos Carneiro
José Maria da Silva
Lídio Peretti
Marilac Loraine Oleniki

Secretário executivo
João Batista Kreuch

Editoração: Flávia Peixoto
Diagramação: Sheilandre Desenv. Gráfico
Capa: visiva.com.br
Ilustração de capa: *Civitas Veri* ou Cidade da Verdade, por Bartolomeo Del Bene, 1609.

ISBN 978-85-326-5238-6

Editado conforme o novo acordo ortográfico.

Este livro foi composto e impresso pela Editora Vozes Ltda.

Nota do tradutor

A tradução de uma obra cuja trajetória está entranhada na história não só da literatura ocidental, como é o caso da *Utopia*, mas também da filosofia e da ciência política exige uma série de considerações de quem se dispõe a fazê-la: desde a edição a ser utilizada como base para o trabalho até os detalhes mais pontuais, e muitas vezes de pontuação inclusive, tudo deve ser pensado e pesado sem que essa carga histórica seja esquecida. Por esse motivo, convém que alguns pormenores do trabalho de tradução aqui desenvolvido sejam esclarecidos, mesmo que poucos e ainda que minimamente. Ora, apontamos dois desses aspectos, os quais tanto estão presentes durante todo o texto como podem chamar a atenção de nossos leitores.

O primeiro deles, e bastante característico, diz respeito à construção de nomes de cidades, povos e cargos públicos, principalmente, a partir da língua grega clássica, algo que pode ser observado já no nome da ilha que passou a designar a obra de Morus: a palavra *utopia*, cunhada pelo autor, foi criada a partir da junção da negação *oú* ("não") à palavra *tópos* ("lugar"), significando o "não lugar" ou o "lugar que não existe." Outras ocorrências desse mesmo processo podem ser vistas, por exemplo, no nome da principal cidade de Utopia,

Amaurota (de *amaurós*, "escuro"), e de um dos cargos magistrados da república utopiense, o filarco (de *phý-larkhós*: *phylē*, "tribo", mais *arkhós*, "chefe"). Além do mais, é possível perceber que essas palavras foram criadas de modo a terem vínculos bastante profundos com as narrativas de Rafael Hitlodeus, nome este que, por sua vez, pode muito oportunamente significar algo como "deus cura por aquele que distribui conversas sem sentido", um fato, portanto, que tem um impacto bastante importante durante a leitura do texto.

Para a tradução desses nomes, poderíamos ter buscado a sua recriação em português de um modo que deixasse explícito, na própria palavra, o seu sentido, fazendo de Amaurota, por exemplo, "Escurópolis". Dois fatores, porém, pesaram contra essa escolha: em primeiro lugar, vários dos nomes não poderiam ser satisfatoriamente recriados sem que se formasse uma espécie de frankenstein onomástico mais espalhafatoso do que funcional; em segundo, se adotássemos tal critério e o aplicássemos coerentemente, acabaríamos distanciando a obra de uma tradição já estabelecida, visto que, por exemplo, retiraríamos da ilha o mais que consagrado nome de Utopia, assim como o de Rafael Hitlodeus. E se aplicássemos esse critério somente onde fosse conveniente, não deixaríamos de criar um frankenstein, ainda que de outra ordem. Para driblar essas dificuldades, então, decidimos pela manutenção dos nomes conforme cunhados pelo autor, explicitando seus sentidos e sua composição em notas de tradução, para que nossos leitores não percam esse elemento tão importante para a leitura do texto.

O outro aspecto que nos esforçamos por manter diz respeito ao ritmo bastante característico da prosa de Morus, que é carregada de frases longas normalmente recheadas de informações. Esse traço, nem sempre mantido nas traduções, traz marcas de um uso do latim bastante específico, além de impor à leitura um andamento que muito tem a ver com os tipos de discurso explorados pelo autor. Sendo assim, cortar-lhe as frases, correndo o risco de alterar a ordem em que as ideias são apresentadas, foi um tipo de intervenção que buscamos evitar ao máximo. Em resumo, pode-se dizer que a tradução que ora apresentamos foi planejada e executada com o intuito de levar ao nosso leitor o maior número possível de características do texto em latim, buscando construir uma *Utopia* afim à *Utopia* que lemos. E, sobre os sucessos e fracassos da empreitada, não cabe a nós falar.

Para terminar, aproveito para agradecer a todas as pessoas que contribuíram de forma às vezes inimaginável para a conclusão desta empreitada e, nomeadamente, a meus pais, José e Terezinha, e a minha incrível Thayse, por todo o amor, carinho e companheirismo. Agradeço ainda aos amigos Rodrigo T. Gonçalves e Brunno V.G. Vieira, presentes em meus trabalhos de diversas maneiras, bem como à Editora Vozes por propor este projeto e acreditar no percurso escolhido para a sua realização.

Araraquara, 01 de março de 2016.
Leandro Dorval Cardoso

Discurso que Rafael Hitlodeus, homem exímio, proferiu sobre a melhor condição de uma república

Livro primeiro, pelo ilustre Thomas Morus, cidadão e visconde da ínclita cidade britânica de Londres

Quando recentemente o invencibilíssimo Rei Henrique da Inglaterra, oitavo de nome e distintíssimo em todas as artes dos egrégios príncipes, teve problemas de não pouca importância com Carlos, o sereníssimo príncipe de Castela, ele enviou-me a Flandres como seu porta-voz para que essas questões fossem tratadas e apaziguadas. Eu era, então, companheiro e colega de Cuthbert Tunstall, homem incomparável, a quem, recentemente e com as felicitações de todos, o rei nomeou Mestre dos Rolos. Sobre os seus méritos, na verdade, nada pode ser dito por mim, mas não porque eu tema que, por causa da amizade sincera, seja pouca a fé atribuída ao testemunho, e sim porque sua virtude e seu conhecimento são maiores do que o quanto pode ser predicado por mim. Ele é, então, mais notável e, em qualquer lugar, também mais ilustre do que eu poderia revelar, a não ser que eu desejasse mostrar o Sol com uma lanterna.

Encontraram-nos em Bruges, pois assim fora acordado, os encarregados da questão pelo príncipe, todos eles homens egrégios. O administrador de Bruges, homem magnífico, era o principal deles, a sua cabeça, enquanto a voz e o peito eram de outro: George de Themsecke, Preboste de Kassel, homem eloquente, é certo, não somente pela arte, mas também por natureza, versadíssimo em leis e exímio artífice nas questões que devem ser tratadas tanto com engenho como com experiência em seus trâmites. Depois que nos encontramos por uma e outra vez e não consentimos o suficiente a respeito de certos assuntos, eles, por nós dito o adeus, partiram por uns dias a Bruxelas para que consultassem a sentença de seu príncipe.

Eu, nesse ínterim, pois assim permitia a questão, me dirigi para a Antuérpia. Enquanto estive lá, muitas vezes fui visitado, dentre outros, mas por nenhum outro mais agradável, por Peter Giles, natural da Antuérpia, homem de grande lealdade e distinta posição junto aos seus, digno de uma ainda mais distinta, porquanto um jovem mais douto não conheço, nem de melhores costumes. De fato, é excelente e letradíssimo, tem sentimentos cândidos com relação a todos e, especificamente, com seus amigos, um coração, um amor e uma lealdade certamente tão bem dispostos, sendo ainda tão sincera a disposição, que dificilmente, em qualquer lugar, tu encontrarás um homem que sintas poder ser a ele comparado em todas as categorias da amizade. É distinta a sua modéstia, de ninguém está mais distante a dissimulação, e em nenhum outro existe uma simplicidade mais sagaz; é tão agradável o seu discurso e tão inóxio e espirituoso que a saudade que ansiosamente eu mantinha da pátria, do lar e dos familiares, da esposa e dos filhos – os quais, com entusiasmo, eu desejava demais visitar, pois já há mais de quatro meses eu deixara a minha casa –, ele a tirou de mim, em grande parte, com sua dulcíssima companhia e melitíssima conversa.

Certo dia, depois de ter comparecido à missa na Catedral de *Notre Dame*, que é obra belíssima e celebradíssima pelo povo, quando, após terminado o rito, me preparava para retornar à hospedaria, por acaso vi Peter Giles conversando com um estranho de idade já impelida à velhice, rosto adusto, barba comprida e uma capa negligentemente pendendo por sobre os ombros e que me pareceu ser, pela aparência e pelos trajes, um capitão de navio. Então, quando me viu, Peter se aproximou e me cumprimentou. Ao me dispor a responder-lhe, tomou-me um pouco à parte e disse: "Estás vendo este homem?", e ao mesmo tempo mostrava aquele com quem eu o vira conversar. "Eu já me preparava para trazê-lo diretamente a ti."

"Tivesse vindo por tua causa", eu disse, "ser-me-ia muito agradável."

"Por certo", disse Peter, "se conhecesses o homem, o seria por ele próprio. Ninguém dentre todos os mortais que hoje vivem pode narrar-te uma história tão grandiosa de homens e terras desconhecidas. E eu sei que tu és bastante ávido por ouvir coisas assim."

"Por esse motivo", eu disse, "não imagino nada diferente, pois, ao primeiro olhar, imediatamente percebi ser o homem um capitão de navio."

"Erraste", ele disse, "por muito longe; navegou, certamente, mas não como Palinuro, e sim como Ulisses; ou melhor, tal como Platão, na verdade. Este é Rafael, também chamado pelo seu nome gentílico, Hitlodeus[1]; não ignora o latim e é doutíssimo em grego, uma vez que estudou mais esta língua do que o latim, pois era-lhe cara a filosofia, assunto do qual sabia não ter restado nada em latim, de qualquer que fosse o momento, exceto algo em Sêneca e Cícero. Tendo deixado para os irmãos o patrimônio que para ele havia em sua terra – é lusitano –, com entusiasmo uniu-se a Américo Vespúcio para contemplar a superfície da terra e foi seu perpétuo companheiro nas três primeiras daquelas quatro navegações sobre as quais já se pode ler em muitos lugares, mas não na última, pois não retornou com ele. Rafael cuidou e, na verdade, atormentou Américo para que estivesse em meio aos 24 homens abandonados em um forte nos limites extremos da última navegação. Foi então deixado naquele lugar, de modo que submeteu-se à sua vontade, mais curioso pela viagem do que pelo sepulcro, porquanto essas palavras estavam sempre em sua boca: 'o céu cobre aquele que não tem esquife' e 'a estrada para o céu é do mesmo tamanho em qualquer parte'. Seria-lhe excessivo o custo por esse seu pensamento, não fosse Deus tão propício a ele. Após a partida de Vespúcio, percorreu muitas regiões com cinco dos

---

1. Há ao menos duas possibilidades interpretativas para a origem do nome de Rafael Hitlodeus (*Raphael Hytlodaeus*, no original). A primeira delas, e talvez a mais difundida, o vê como um trocadilho composto em três línguas pelo autor: *Rafael*, do hebraico, significa "deus cura"; *Hytlo*, do grego *hýthlos* (ὕθλος), pode significar "conversa sem sentido"; *daeus* ou *deus*, do latim, significa "deus". Assim o nome significaria "deus cura pela conversa sem sentido de deus". A outra diz respeito à formação do gentílico, que seria composto pelos termos gregos *hýthlos* (ὕθλος: "conversa sem sentido") e *daíein* (δαίειν: "dividir, distribuir"), com o que se poderia entendê-lo como "que distribui conversas sem sentido", um significado que parece com o do adjetivo grego *hythlorrḗmōn* (ὑθλορρήμων: "que profere bobagens").

companheiros do forte; pelos mistérios da fortuna, foi levado à Taprobana e, então, a Calicute, onde convenientemente encontrou algumas naus portuguesas e, assim, mesmo que contra suas esperanças, foi finalmente trazido de volta à pátria."

Quanto Peter contou-me essas coisas, eu lhe agradeci por ter sido tão atencioso comigo de modo a esperar que me fosse agradável a conversa daquele homem, que então eu deleitasse a sua fala – tanta razão ele tinha! Voltei-me a Rafael e, então, nos cumprimentamos mutuamente e dissemos aquelas coisas comuns que costumam ser ditas ao primeiro encontro com um estranho. Depois, partimos para a minha casa e, lá, no jardim, acomodados em um banco coberto por ervas verdes, conversamos.

Contou-nos de que maneira, após Vespúcio ter partido, ele e os seus companheiros que permaneceram no forte começaram a mesclar-se pouco a pouco às pessoas daquela terra por meio de acordos e lisonjarias e a viver de um modo não muito honroso junto a elas, mas ainda assim amistoso, e de como foram bem-vindos e caros a um certo príncipe, cujo nome e pátria me escapam. Contava como, pela generosidade deste, foram fornecidos meios de transporte e provisões o suficiente a ele e aos seus cinco companheiros para as viagens que empreenderam – usando um bote quando por água e um carro quando por terra – com um guia fidelíssimo que os levou a outros príncipes os quais, diligentemente recomendados, eles procuravam. Por fim, dizia ter descoberto vilas e cidades após viagens de muitos dias, bem como, com bastante frequência, repúblicas bem estabelecidas e de grandes populações.

Dizia que, sob a linha do equador, em ambas as suas direções e por quase toda a extensão da área circundada pela órbita do Sol, situam-se desertos vastos e tórridos de um calor perpétuo. A aparência pobre e triste das coisas está em toda parte, e também terras horríveis e incultas habitadas por feras, serpentes e, finalmente, por homens não menos selvagens do que as bestas, nem menos perigosos. Por outro lado, quanto para mais longe fossem levados, tudo, pouco a pouco, tornava-se mais civilizado. Revelavam-se então um céu menos áspero, um solo mais brando e com verdores, a natureza animal mais tranquila e, por fim, povos, cidades e vilas que estabeleciam relações comerciais assíduas não somente entre si, mas também com nações próximas e distantes, por terra e mar. Foi assim que surgiu-lhe a oportunidade de poder visitar muitas terras, deste e do outro lado, pois nau alguma havia, preparada para qualquer que fosse a jornada, em que ele e seus companheiros não fossem prazerosamente admitidos.

As naus em que observaram as primeiras regiões, ele contava, eram de casco plano. As velas eram construídas com papiros cosidos, vime ou, algumas vezes, com couro. Mais tarde, encontraram cascos acuminados, velas de cânhamo e, finalmente, naus similares às nossas em tudo. Conheceram marinheiros que não eram imperitos em mar e céu, mas que, ele dizia, começaram a nutrir notável gratidão por ele por ter-lhes ensinado o uso da bússola, instrumento no qual, antes, eram profundos ignorantes. Estavam, então, habituados ao mar, mas com receios, e não confiavam em outras estações tanto quanto no verão. Agora, porém, com a sua crença na bússola, desafiam mesmo o inverno, mais seguros que cautelosos, de modo que o mesmo objeto por eles considerado fonte de grandes benesses no futuro tornou-se, pela imprudência, causa de grandes males.

Disse também o que viu nesses lugares, mas tanto seria demorado desenvolvê-lo aqui, como não é a intenção desta obra fazê-lo – talvez contemos em outro lugar especialmente o que não for permitido ignorar de seus costumes, principalmente aquelas coisas as quais Rafael, de algum modo, notou terem sido corretamente ponderadas entre as pessoas para que convivessem prudentemente e como cidadãos. Sobre isso, pois, perguntamos-lhe muito avidamente, e ele, muito prazerosamente, explicara. Foram evitadas, contudo, as perguntas sobre os monstros, as quais nada têm de novo, uma vez que sobre os rapaces Cilas e Celeno, sobre os populívoros Lestrigões[2] e, tais esses, sobre outras monstruosidades medonhas, tu dificilmente não encontrarás alguma coisa em qualquer lugar, enquanto que sobre cidadãos estabelecidos de maneira sábia e judiciosa tu não descobres nada. Além disso, ele noticiou muitas coisas erroneamente praticadas entre aquelas novas nações, não enumerando poucas delas, a partir do que poderiam ser corrigidos os modelos de cidades, nações, povos e reinos propensos aos erros. Porém, como eu disse, essas coisas serão por mim relatadas em outro lugar. Agora, é mister recontar a história sobre os costumes e as instituições dos utopienses que Rafael contava; primeiro, ainda, a do seu próprio relato e de como chegou-se à menção à república deles.

Com muita prudência, Rafael enumerou algumas coisas erradas neste hemisfério, outras naquele,

---

2. Cilas é um monstro, e os Lestrigões, um povo. Ambos aparecem na *Odisseia*, de Homero. Celeno é uma harpia citada na *Eneida*, de Virgílio. A palavra latina *populiuoros*, aqui traduzida por "populívoros", parece ter sido cunhada pelo próprio Morus e quer dizer "comedor de pessoas" – segue, então, o mesmo princípio de composição de *carnivorus* ("carnívoro", em português), que significa "comedor de carne".

certamente muitas em ambos e, então, falando com muita sabedoria, aquelas que são acertadas junto a nós, mas também junto aos outros, uma vez que se lembrava dos costumes e das instituições de cada país como se tivesse vivido toda a sua vida em qualquer lugar que divergisse em tais questões. Admirado com o homem, Peter disse: "Na verdade, meu caro Rafael, me espanta que tu não te tenhas associado a algum rei, dos quais, eu sei, nenhum se basta a ponto de tu não poder ser-lhes veementemente bem-vindo, uma pessoa capaz não somente de agradar com essa educação e esse conhecimento de homens e lugares, mas também de instruir por meio de exemplos e, idôneo como és, de ajudar com um conselho. Assim, com esta união, ao mesmo tempo em que tu atenderias egregiamente as tuas próprias demandas, poderias ser de grande ajuda para o benefício de todos os teus".

"Quanto ao que se refere aos meus", disse Rafael, "não estou muito preocupado. Na verdade, com relação a eles, creio que cumpri modestamente todas as minhas obrigações, pois, quando se trata do que os outros não entregam a não ser quando estão velhos e doentes, ou melhor, que distribuem relutantemente mesmo quando já não conseguem mais manter, essas coisas eu distribuí, não somente saudável e vigoroso, mas também jovial, aos parentes e amigos, os quais, eu acredito, devem ficar contentes com essa minha afabilidade, e não reclamar nem esperar que eu me entregue em servidão a um rei por causa deles."

"Boas palavras", disse Peter, "contudo, não me admira que tu não tenhas *servido* a um rei, e sim que, com um, tu não tenhas *serviço*."

"Entre ambos", disse Rafael, "só há uma letra diversa."

"Ainda assim", disse Peter, "é dessa forma que eu penso: por qualquer nome que tu chames essa relação, ela é o único caminho pelo qual tu podes não somente ser útil aos outros, mas também tornar mais feliz a tua própria condição, bem como a dos teus."

"Mais feliz", respondeu Rafael, "eu percorreria o caminho do qual se afasta o meu ânimo? Não obstante isso, agora eu vivo como eu quero, o que certamente, eu suspeito, deve acontecer com pouquíssimos dos que vestem as roupas púrpuras da corte. Além disso, já existe o suficiente dos que buscam a amizade dos poderosos, então não penses que a perda será grande se ficarem sem mim ou sem qualquer outro semelhante a mim."

Então eu disse: "É claro que em ti, meu caro Rafael, não há ambições de riquezas, nem de poder, e eu, na verdade, não venero nem admiro menos um homem de mente igual à tua do que qualquer um daqueles aos quais agrada ter poder sobre as coisas. Por outro lado, se, de maneira clara, tu considerasses uma questão digna de ser tratada em teu ânimo tão generoso e, por certo, tão filosófico, se assim tu a ponderasses apesar dos teus próprios incômodos e ajustasses teu engenho e tua indústria aos assuntos públicos, os quais nunca poderias deleitar tanto quanto se estivesses a serviço do magno conselho de algum príncipe, tu poderias persuadir qualquer um deles, e isso certamente poderia ser feito por ti, de um modo justo e honesto. Além do mais, a partir do príncipe a torrente de todas as benesses e de todos os males escorre para todo o povo como de uma fonte contínua, e em ti, por certo, tão completo é o conhecimento, mesmo sem levar em conta a experiência, e tão grande é a experiência, mesmo sem o conhecimento, que tu te apresentarias como egrégio conselheiro de qualquer que fosse o rei".

"Erras duas vezes", ele disse, "meu caro Morus: primeiro quanto a mim; segundo quanto ao próprio fato. Não é minha essa habilidade que tu atribuis e, mesmo que fosse e ainda que, com minha tranquilidade, procurasse desenvolvê-la, em nada eu faria avançar a causa pública. Isso porque, em primeiro lugar, a maioria dos príncipes se ocupa mais prazerosamente de assuntos militares, nos quais nem tenho experiência, nem desejo tê-la, do que da boa arte da paz, e é muito maior a dedicação aos meios pelos quais buscam para si novos reinos, seja por fás ou nefas, do que àqueles pelos quais administrariam bem as suas conquistas. Por outro lado, quaisquer que sejam os conselheiros dos reis, na verdade não há nenhum deles que aprove o conselho de uma outra pessoa, seja porque sabe tanto a ponto de não precisar disso, seja porque se considera tão inteligente que não acha por bem fazê-lo, a não ser que, concordando com as mais absurdas palavras de alguém e parasitando aqueles dos quais a graça é máxima junto ao príncipe, anseiem conquistar a anuência do príncipe para si. E assim, sem dúvidas, foi determinado pela natureza: que cada um se vanglorie por suas próprias descobertas; e assim ao corvo dá prazer a sua ninhada, e ao macaco o seu filhote agrada."

"Se, em um conselho de pessoas invejosas ou das que sempre preferem suas próprias coisas, alguém reporta alguma coisa que leu em outros tempos ou viu acontecer em outros lugares, então aqueles que o escutam nesse lugar acreditam, do mesmo modo, que todas as opiniões sobre a sua sabedoria correm risco e que, depois disso, serão considerados completos estúpidos, a não ser que sejam capazes de encontrar alguma coisa que transformasse em vício as descobertas dos outros. Se, caso contrário, desistissem deste propósito, se refugiariam aqui: 'assim se satisfaziam os nossos antepassados', eles diriam, 'dos quais oxalá igualemos a sabedoria!' Falando exatamente dessa forma, tomariam seus assentos como se tivessem egregiamente concluído a questão, como se fosse um grande perigo alguém ser considerado mais sábio nisso do que os seus antepassados. Além do mais, nós permitimos que prevaleça com o mesmíssimo vigor qualquer coisa que tenha sido considerada muito boa pelos mais velhos, mas, havendo a possibilidade de que uma medida mais sábia sobre o assunto seja assumida, pronta e obstinadamente reprimimos essa oportunidade arrebatada com avidez. Esses julgamentos soberbos, absurdos e morosos, tal como às vezes vi em outros lugares, também encontrei na Inglaterra certa vez."

"Pois te pergunto", eu disse, "estiveste entre nós?"

"Estive", ele disse, "e por lá andei durante alguns meses, não muito depois daquele desastre em que os miseráveis opositores civis da Inglaterra Ocidental marcharam em guerra contra o rei e foram suprimidos com um grande massacre[3]. Nesse meio-tempo, eu estive muito ligado ao reverendíssimo Padre John Morton, cardeal, arcebispo da Cantuária e, naquele momento, chanceler da Inglaterra; e uma vez que as coisas que direi a seguir são do conhecimento de Morus, a ti me refiro, meu caro Peter: é um homem que não é mais venerável por sua autoridade do que por sua sabedoria e virtude. A sua altura era mediana, mas não se curvava à idade, ainda que avançada;

---

3. Refere-se aqui ao episódio em que cidadãos da Cornualha, revoltados com as taxações impostas por Henrique VII, foram massacrados no subúrbio londrino de *Backheath* em 1497.

a expressão, tu a reverenciarias, mas não a temerias. Não era difícil no trato, embora sério e grave. Submeter à prova os suplicantes enquanto os interpelava, mas sem nada de prejudicial, era um prazer mais pungente, além de servir para mostrar a astúcia e a presença de espírito de cada pessoa; deleitava-se com essas qualidades, similares às de seu próprio caráter na condição de que a insolência estivesse ausente, e as tomava como aptas para o gerenciamento de seus assuntos. O discurso era polido e eficaz; o conhecimento das leis, grande; incomparável a inteligência, e a memória excedia, de todas as formas, um prodígio. Essa era, pois, a sua egrégia natureza, que ele desenvolveu por meio da aprendizagem e da prática. Ao que consta, o rei confiava imensamente em seus conselhos, e a república avançou muito enquanto eu estava lá presente. Sabe-se que, mais ou menos na primeira juventude, foi levado da escola para a corte, e que esteve ocupado com as mais importantes questões durante toda a sua vida. Às diversas variações da fortuna lançado, em meio a muitos e aos maiores perigos, ele obteve aquele conhecimento das coisas que, assim apreendido, não desaparece facilmente."

"Por acaso, certo dia quando eu estava à sua mesa, um homem leigo, perito em vossas leis, também estava lá presente; com cuidado, e não sei como tivera a chance, ele começou a elogiar as rígidas leis que eram então praticadas contra os ladrões, os quais aqui e ali, ele contava, eram às vezes suspensos, às vintenas, em uma única cruz; dizia também que, muito mais veementemente, o espantava que, embora tão poucos escapassem de tamanho suplício pelo mal que haviam feito, ainda assim muitos mais praticassem assaltos em diferentes lugares. Nisso, porque posso falar livremente na casa do cardeal, eu disse: 'Em nada te admires com isso. Uma tal punição para um ladrão tanto está acima do que é justo, como fora do interesse público: é excessivamente atroz para a punição de furtos, além de não ser suficiente para refreá-los. Na verdade, o simples furto não é um crime tão grave para que seja punido com a vida, e essa pena não é tão grande de modo a coibir dos assaltos aqueles que não têm nenhuma outra forma de buscar seus meios de subsistência. Nessa questão, porém, não só vós sois assim, mas boa parte do mundo parece imitar os maus professores, que surram os alunos mais prazerosamente do que os ensinam. Decidem-se, enfim, por graves e horrendos suplícios aos ladrões, quando muito melhor seria tomar providências para que os proventos necessários à vida estivessem à disposição de qualquer um, de forma que a ninguém se apresentasse primeiro a cruel necessidade de roubar para que depois se cumpra aquela de ser morto'."

"Há provisões o bastante", ele disse. "As artes mecânicas estão aí, e também a agricultura, meios pelos quais é possível manter a vida, a não ser que, por vontade própria, as pessoas escolham ser más."

"Assim, porém, tu não escaparás", eu disse. "Primeiro, deixemos de lado aqueles que frequentemente retornam para casa mutilados, voltando de guerras no estrangeiro ou de guerras civis, tal como, recentemente, muitos retornaram para suas casas da Batalha da Cornualha, ou, um pouco antes, da Guerra Gálica[4], e que empenharam seus membros em favor da república ou de um rei, aqueles cuja debilidade não permitiu exercer os antigos ofícios, nem a idade possibilitou que aprendessem um novo. Estes, pois, deixemos de lado, já que as guerras vêm e vão

4. Provável referência à Guerra dos Cem Anos.

em momentos alternados, e contemplemos aquelas situações que ocorrem todos os dias. É grande o número de nobres que não somente gastam o seu próprio tempo ociosos, tal e qual parasitas do trabalho alheio, mas que também, por exemplo, esfolam os colonos de suas fazendas aumentando constantemente o valor dos proventos para a subsistência, uma vez que conheceram somente essa compostura – de outra maneira, sua prodigalidade os levaria à mendicância. Ademais, esses nobres costumam trazer consigo uma imensa turba de seguidores ociosos que nunca aprenderam outras formas de obter seus meios de vida. Tais seguidores, por sua vez, são imediatamente colocados para fora assim que morre o seu senhor ou que eles próprios caiam doentes, pois tanto os nobres sustentam os ociosos mais prazerosamente do que os doentes, como, muitas vezes, os herdeiros dos mortos não estão preparados para sustentar a casa de seus pais. Nesse meio-tempo, então, aqueles homens ociosos começam a passar fome rapidamente, a não ser que rapidamente comecem a praticar assaltos. Mas o que fariam? Errando por aí, pouco a pouco arruínam suas vestes e sua saúde, e, enfraquecidos pela doença e cobertos por trapos, os nobres não os querem aceitar, e os camponeses não o ousam, pois não ignoram que eles foram brandamente educados ao ócio e aos prazeres, que estão habituados a armarem-se com a espada e o escudo, que encaram, com olhar soberbo, toda a vizinhança e desprezam todos diante de si; e sabem que, de modo algum, seriam capazes de servir fielmente a um pobre com uma pá e uma enxada, bem como com um salário escasso e poucas provisões."

Com relação a isso, entretanto, o laico disse: "Este tipo de homem deve ser, antes de qualquer coisa, protegido, pois eles têm um espírito mais excelso e magnânimo do que os artesãos e os agricultores, e constituem a força e o vigor do exército quando a guerra é conflagrada".

"Na verdade", eu disse, "tu poderias alegar, e com o mesmo esforço, que os ladrões devem ser protegidos em favor da guerra, os quais sem dúvida não te faltarão enquanto mantiveres aqueles seguidores ociosos. Além disso, nem os ladrões são soldados preguiçosos, nem os soldados são ignorantes na rapinagem, uma vez que, na guerra, eles se ajustam entre essas duas artes. Esse erro, porém, embora frequente entre vós, não é exclusivo, sendo comum a quase todos os povos, na verdade. Nesse momento, porém, uma outra peste ainda mais pestilenta infesta a Gália: toda a pátria, mesmo que em paz - se isso é estar em paz -, está tomada e ocupada por soldados mercenários, mantidos pela mesma convicção com a qual vós recomendais que aqui sejam protegidos os criados ociosos. Aos morósofos[5], certamente parece que a proteção pública está garantida se uma guarda firme e forte estiver sempre presente e de prontidão, especialmente se formada por veteranos. Com efeito, não confiam em guardas destreinados e, na verdade, preferem que uma guerra seja às vezes provocada para que não tenham soldados imperitos; ou que, mesmo por nada, alguns homens sejam degolados para que - conforme disse, e muito bem, Salústio - a mão e o espírito não se entorpeçam por causa do ócio[6]. Mas o quão perigoso é alimentar tais bestas desse modo,

---

5. A palavra utilizada por Morus é *morosophis*, e tem origem no termo *mōrósophos* (μωρόσοφος), cunhado pelo grego Luciano de Samósata (*Alexandre*, 40.6) para referir-se aos "sábios em idiotices".

6. A citação foi retirada da obra *A conspiração de Catilina* (16.3), de Caio Salústio Crispo.

a Gália já aprendeu para o seu próprio prejuízo, e os exemplos dos romanos, dos cartagineses e dos sírios o mostram, assim como os de muitos povos dos quais não somente todo o poder, mas também os campos e até mesmo as próprias cidades foram destruídos em mais de uma ocasião por seus tão preparados exércitos. Na verdade, tamanha preparação não é necessária - se queres nisso pôr luz -, pois nem mesmo os soldados da Gália, desde sua juventude exercitadíssimos nas armas, podem se vangloriar de serem sempre superiores quando colocados contra os vossos recrutas. Contudo, não direi mais nada sobre isso para que, aos presentes, não pareça que eu queira vos lisonjear. Vossos trabalhadores urbanos e os rudes e rústicos agrícolas não devem ter muito medo dos ociosos acompanhantes dos nobres, a não ser aqueles cujo corpo seja inapto à força e à audácia, ou cuja força do espírito tenha sido enfraquecida pela inópia dos assuntos familiares. Portanto, não há nenhum perigo: seus corpos outrora fortes e robustos, pois somente estes são dignos de serem corrompidos pelos nobres, debilitam-se por causa do ócio ou amolecem por causa de preocupações quase femininas; precisamente estes, instruídos para que vivessem por meio de boas ocupações e exercitados por trabalhos viris, são efeminados. Por certo, de qualquer forma que essa questão seja considerada, ela não me parece ser útil à causa publica de nenhuma maneira. Na iminência de uma guerra, a qual tu nunca empreenderás exceto se a quiseres, alimentar uma turba infinita desse tipo de gente prejudica a paz, cujo interesse deve ser muito mais considerado do que a guerra. Porém, essa não é a única dificuldade com relação àqueles que roubam. Há outra mais especificamente relacionada a vós, conforme eu acredito."

"E qual é?", disse o cardeal.

"As vossas ovelhas, eu respondi, que antes eram tão mansas e acostumadas a tão pouco pasto, mas que agora, conforme foi relatado, passaram a ser tão vorazes e indomáveis que devoram os próprios homens, os campos e as casas, e também assolam e devastam as cidades. Por certo, em quaisquer partes do reino nascia a lã mais delicada e, por isso, mais valiosa, mas os nobres e os senhores, e mesmo os abades, homens mais que santos, não estavam contentes com esses rendimentos, nem consideravam satisfatória a produção anual que aos seus antepassados costumava brotar dos prados; vivendo, pois, ociosa e suntuosamente, em nada eles são proveitosos ao público, e agora são, além disso, prejudiciais: nada deixam à lavra, cercando tudo para fazer pastagens, demolindo casas e destruindo cidades, mantendo somente as igrejas, mas como estábulos para as ovelhas. E como se as pastagens e os viveiros das feras pouco arruinassem do vosso solo, aqueles bons homens transformaram em desertos todas as habitações e qualquer lugar em que qualquer coisa fosse cultivada. Um único glutão insaciável, feroz praga da pátria, circunda mais de mil jeiras em terra contínua com uma única cerca. Assim, sitiados pela fraude, oprimidos pela força ou cansados com as injúrias, os colonos são afugentados e impelidos a vender suas posses; miseráveis, então, mudam-se homens, mulheres, maridos, esposas, viúvos, viúvas e pais com filhos pequenos; famílias numerosas, mais grandes que ricas – os assuntos do campo exigem o trabalho de muitas mãos –, mudam-se de suas conhecidas e habituais moradias sem encontrar outra que os receba. Quando é necessário que se desfaçam de seus pertences, e ainda que pudessem esperar um comprador, toda a mobília a ser vendida é negociada por um valor mínimo não muito grande, o qual eles gastam durante pouco tempo andando sem rumo. Por fim, o que lhes resta? Tornarem-se ladrões e serem enforcados – justamente, é claro – ou vagar até que virem mendigos? Do mesmo modo, porém, quando eles se tornam andarilhos também são jogados na cadeia, pois perambulam ociosos e não há ninguém que contrate seus trabalhos, mesmo que eles o ofereçam com muito empenho. Isso porque não há nada para ser feito por aqueles que acostumaram-se aos trabalhos do campo quando nada é plantado, pois um único pastor ou vaqueiro basta para cuidar da terra que deverá ser devorada pelo gado e cujo cultivo, antes, exigia muitas mãos para que as sementes fossem plantadas."

"Isso fez com que, em muitos lugares, o preço dos grãos ficasse muito mais caro. Além disso, mesmo o preço da lã aumentou, de modo que os tecelões não puderam pagar, sem algumas dificuldades, o preço das mais delicadas, com as quais, por serem assim, costumam tecer as fazendas entre vós. Por essa razão, muitos foram afastados desse tipo de trabalho para o ócio. E tudo porque, após o aumento das pastagens, uma peste consumiu uma imensa quantidade de ovelhas, como se, por causa da cupidez dos proprietários, a pestilência tivesse sido enviada por Deus como vingança contra as ovelhas, quando seria justo que tivesse sido agitada contra a cabeça de seus donos. Se o número de ovelhas aumentou ao máximo, em nada caiu o seu preço, porém: se isso não pode ser chamado de monopólio por não haver um único vendedor, é certamente um oligopólio. Em geral, as ovelhas ficaram nas mãos de poucos, e principalmente daqueles mais ricos, aos quais nenhuma necessidade pressiona que as vendam antes que queiram, nem antes que eles aumentem o quanto for possível que queiram."

"É por essa mesma razão que outros tipos de gado também são igualmente caros, mas há uma maior ainda: com as quintas destruídas e as atividades do campo suprimidas, não há quem cuide da reprodução dos animais. Os homens ricos não cuidam para que se produzam crias de vacas como o fazem com as de ovelhas, contentando-se em comprá-las magras de outros lugares por um preço baixo e, depois que elas engordarem em suas pastagens, vendê-las com grande lucro. E por isso, eu calculo, ainda não foi sentido todo o incômodo dessa prática. Na verdade, até agora, somente naqueles locais em que eles vendem é que o preço se torna maior. Mas quando, por algum tempo, retiram-se recursos de um mesmo lugar mais rápido do que é possível produzi-los, então, por fim, também onde eles são comprados, por minguarem pouco a pouco, é inevitável que se passe por uma grande carestia. Assim, por esse motivo, esta vossa ilha que antes parecia felicíssima, ela mesma, pela ímproba cupidez de poucos, será transformada em ruínas. O alto preço dos grãos é o motivo por que todo mundo dispensou muito mais pessoas do que podia de suas propriedades. E eu pergunto: o que elas fariam exceto mendigar ou, aquilo ao que mais facilmente tu persuadirias os espíritos nobres, assaltar?"

"Acrescente-se a essa necessidade miserável e a essa carestia a impertinente luxúria, pois tanto nos lacaios dos nobres e nos artesãos, como, de certa forma, nos próprios camponeses e, por fim, em qualquer um de qualquer classe há uma pompa muito insolente nas vestes e um luxo excessivo na dieta. Além disso, as tascas, os covis, os lupanares e aquele outro lupanar, as tabernas de vinho, de cerveja e, por fim, as casas de jogos de azar, cartas, dados, bola, boliche e disco: acaso elas não drenam mais rapidamente o dinheiro e levam qualquer um, sabedor de seus mistérios, a assaltar? Expulsai essas pestes perniciosas e decretai àqueles que destruíram as quintas e as cidades campestres que as reconstruam, ou que ao menos concedam a quem deseja reerguer que as construam. Refreai a coempção entre os ricos, assim como a liberdade de continuar exercendo o monopólio. Que menos pessoas sejam favorecidas pelo ócio, e que a agricultura seja restaurada e o lanifício instaurado para que existam serviços honestos pelos quais aquela turba ociosa se exercite de maneira mais útil, tanto aqueles que, até este momento, a carestia tornou ladrões, como os lacaios que agora são andarilhos ou ociosos, uns e outros, sem dúvidas, futuros ladrões!"

"Por certo, se não tiveres remédios para esses males, vos gabais em vão da justiça administrada para vingar os furtos e que com certeza é mais impressiva do que justa e útil. Se vós permitis que os jovens sejam pessimamente educados e os costumes pouco a pouco corrompidos desde os mais tenros anos, ordenando somente mais tarde, quando já homens, que eles sejam punidos por aquelas mesmas vergonhas das quais a expectativa apresentou-se continuamente desde a sua infância, então, eu vos pergunto, que outra coisa fazeis deles que não ladrões para que, depois, os castigueis?"

"Enquanto eu falava essas coisas, aquele jurisconsulto já se preparara para discursar e, pensando consigo, se resolvera por aquele modo solene de discutir pelo qual as pessoas mais diligentemente repetem do que respondem, de tal forma que relegam à memória boa parte do mérito: "Certamente", disse aquele leigo, "falaste muito bem, embora sejas um estrangeiro que mais pudera ouvir um pouco sobre essas questões do que, exatamente, conhecer alguma coisa – o que eu, pouco a pouco, tornarei mais claro. Então, primeiro eu vou enumerar, na ordem, as coisas que tu falaste. Em seguida, revelarei nestas questões o que o desconhecimento das nossas práticas impôs a ti e, finalmente, diluirei e dissolverei todos os teus argumentos. Sendo assim, começarei conforme o que prometi primeiro: para mim, parecem quatro..."

"Acalma-te!", disse o cardeal. "Não parece que será pequena a resposta que assim tu começas. Por isso é que, neste momento, te desoneramos de que devas responder com esse enfado; porém, essa função estará a ti garantida, e por completo, no próximo encontro entre vós, que eu gostaria, exceto se algo te impedir, ou a Rafael, de repetir já no próximo dia. Mas, nesse ínterim, meu caro Rafael, eu ouvirei de ti, e extremamente mais feliz, por que razões tu pensas que o furto não deve ser punido com o suplício supremo, ou que outra pena tu próprio decretas que melhor conduza o interesse público, pois igualmente sentes que esse crime não deve ser tolerado. Pois se agora os homens ainda se lançam ao furto mesmo expondo a sua vida à morte a cada roubo, que tipo de violência, que temor poderia afastar os malfeitores? Com a mitigação do suplício, o que é uma espécie de prêmio, acaso não se sentiriam convidados à prática de malfeitorias?"

"No geral, pai benigníssimo", eu disse, "parece-me que tirar a vida de um homem por causa de dinheiro roubado é, sem desvios, injusto." Penso que a vida humana não pode ser tratada da mesma forma que algo pertencente ao domínio da fortuna. 'Mas essa pena', eles dizem, 'é o contrapeso da ofensa à justiça e da violação das leis, não do dinheiro.' Então, por que essa justiça extrema não é devidamente chamada de injustiça extrema? Os editos da lei de Mânlio não devem ser aprovados de sorte que imediatamente empunhem a espada em qualquer situação, mesmo nos casos mais leves de pouca obediência; e nem os decretos Estoicos, de sorte que todos os crimes sejam pesados como pares, fazendo com que, entre alguém que mata um homem e um que dele afana umas moedas, não considerem nada como intermediário: entre esses casos, se qualquer equidade prevalecesse, absolutamente nada poderia ser símile ou mesmo afim. Deus proibiu que qualquer um fosse morto, então nós tão facilmente matamos por causa de uns trocadinhos roubados? Se alguém conjeturar que a possibilidade de matar está proibida por essa ordem de Deus a não ser que a lei humana declare que alguém deve ser morto, como impedir os homens de decidirem entre si e por esse mesmo mecanismo que o estupro pode ser admitido, ou que o adultério e o perjúrio podem ser cometidos? Por certo, Deus arrebatou de qualquer um não só o direito sobre a própria morte, mas também sobre a de outra pessoa; então, se o consenso dos homens a respeito do homicídio praticado sob certas condições acordadas deve prevalecer a tal ponto que exima das amarras deste preceito os homens que, sem qualquer precedente vindo de Deus, exterminam quem a lei humana ordena que seja morto, acaso, dessa forma, o preceito da lei de Deus não seria considerado somente na medida em que o permitem as leis humanas? Como consequência, certamente os homens passarão a estabelecer até que ponto convém que os mandamentos divinos sejam observados em qualquer questão inclinando-se a esse mesmo modo de pensar. Por fim, mesmo a lei de Moisés, ainda que inclemente e violenta, visto que produzida para um povo escravizado e teimoso, não sentenciava o roubo de dinheiro com a morte. E não pensemos que Deus, em uma nova lei de clemência sob a qual o pai comanda os filhos, nos tenha concedido maiores licenças para que então fôssemos selvagens uns com os outros."

"Eis por que penso não estimar isso. De certo, o quão seja absurdo e também pernicioso para a república que um ladrão e um homicida sejam punidos do mesmo modo, acredito, não há quem não o saiba. Quando um ladrão perceber que não terá uma punição menor por furto do que se optar também pelo homicídio, seguramente ele será impelido por um pensamento: matar aquele a quem, sob outro aspecto, teria sido o bastante espoliar. Por certo, a não ser que nada mais perigoso seja descoberto, também há no homicídio uma maior tranquilidade e uma maior esperança de que sejam ocultos os indícios do crime. Assim, enquanto desejamos aterrorizar, e muito, os ladrões mais cruéis, os incitamos ao assassinato de bons cidadãos."

"Agora, o que costumeiramente é perguntado, qual punição poderia ser mais apropriada. Conforme o meu juízo, é mais fácil, e não pouco, encontrar uma tal pena do que aquelas mais desfavoráveis. Por que, por exemplo, nós duvidamos daquela maneira útil de castigar os crimes que, sabemos, antigamente e por tantos anos satisfez os romanos, muito peritos na administração da república? Eles, é certo, condenavam os culpados dos maiores crimes às pedreiras e à escavação de metais, atribuindo-lhes eternos grilhões. Conquanto isso, e porque é útil a esse assunto, eu considero que os costumes de nenhum povo sejam melhores do que os observados enquanto eu peregrinava pela Pérsia, especificamente os que conheci junto aos poliléritos[7], assim geralmente chamados, um povo nem pequeno, nem imprudentemente

7. A palavra utilizada pelo autor é *polyleritas*, criada pela junção de *polýs* (πολύς) e *léros* (λέρος), que significa literalmente "muito absurdo".

instruído e, exceto porque pagam um tributo anual ao rei dos persas, livre e entregue às suas próprias leis. Além disso, visto que estão bem distantes do mar e circundados, de perto, por montanhas, bem como por estarem satisfeitos com os frutos da sua terra nem um pouco escassa, não visitam outros povos com frequência, nem são por eles visitados. Conforme um costume antigo do povo, não desejam propagar suas fronteiras e são facilmente protegidos de todos os perigos pelos aspectos naturais da sua região, as montanhas, bem como pela taxa que pagam ao senhor do lugar. Livres, em resumo, de exércitos e sem magnificência nem conforto, vivem mais felizes do que com nobreza ou distinção. De toda forma, conforme acredito, exceto por seus vizinhos mais próximos, não são muito conhecidos por seu nome."

"Pois bem: em seu meio, os acusados de furto devem restituir ao dono o que levaram, e não ao príncipe, como se costuma fazer em outros lugares, pois acreditam que, em relação ao objeto do roubo, este tem tanto direito quanto o próprio ladrão. Se, porém, o objeto se perdeu, o seu valor é retirado das posses do ladrão e então pago ao dono; caso haja sobras, dão-nas integralmente à esposa e aos filhos do ladrão, que é condenado a trabalhar."

"A não ser que o furto tenha sido acompanhado por ação mais atroz, eles não são confinados, nem postos em grilhões, mas, livres e desimpedidos, ocupam-se com trabalhos para o bem público. Não reprimem com a prisão aqueles que se recusam ao trabalho ou se comportam com mais moleza, mas os estimulam com o açoite; os que realizam o trabalho ativos distanciam-se dos ultrajes e, à noite, chamados pelo nome, são aprisionados em seus dormitórios. Além do trabalho assíduo, não sofrem nenhum outro inconveniente em vida. Os que servem ao interesse público, pois, são alimentados pelo público, sem maiores durezas, o que acontece de diferentes maneiras em diferentes lugares. Em uns, por exemplo, o que é gasto com eles é recolhido de esmolas, e ainda que essa seja uma via incerta, nada pode ser obtido mais copiosamente, uma vez que aquele povo é misericordioso. Em outros, um rendimento público é destinado para isso, e há, ainda, aqueles em que são propostos tributos individuais para mantê-los. Na verdade, em alguns lugares, não cumprem nenhum trabalho de interesse público, mas quando um particular tem necessidade de algum trabalhador assalariado, ele contrata, junto ao mercado, a mão de obra de algum deles por um dia, pagando um salário fixo, um pouco menor do que aquele pelo qual deveria ser contratado um homem livre; além disso, é permitido atacar, com o açoite, o trabalhador preguiçoso. Assim o fazem para que não careçam de trabalho; e, afora os alimentos, de alguma forma eles ganham, a cada dia, alguma coisa para o erário."

"Todos os condenados vestem-se com uma determinada cor, e somente com ela; seu cabelo não é raspado, mas cortado um pouco acima das orelhas, das quais uma tem um pequeno pedaço cortado. É permitido que lhes sejam dadas comidas, bebidas e roupas, desde que da cor determinada, pelos seus amigos, mas, se for-lhes dado dinheiro, a punição é capital tanto a quem dá como a quem ganha. O risco não é menor para o homem livre que recebe dinheiro de um condenado por qualquer que seja o motivo, nem para o escravo – é assim que chamam os condenados – que possua armas. Cada região distingue os seus com uma marca própria, cuja retirada é crime capital, assim como ser visto além de suas fronteiras ou conversar com qualquer escravo de outra região. Não é mais seguro planejar uma fuga do que executá-la. Na verdade, se um escravo for cúmplice em tais planos, é morto; caso seja um homem livre, é condenado à escravidão. Prêmios são estabelecidos como recompensa à denúncia: ao homem livre, um pagamento; ao escravo, a liberdade – e tanto a um como a outro é dada a vênia e a liberação da culpa, para que seguir um plano mau não seja melhor escolha do que arrepender-se dele."

"Eis a sua lei sobre essa questão, a disposição a que me referi. O quanto ela tem de humana e de conveniente é facilmente percebido, pois dessa forma eles se enraivecem com os criminosos, mas com o intuito de que, destruídos os vícios, sejam conservados os homens, para que eles vejam, tratados assim, a necessidade de serem bons e para que, pelo resto de suas vidas, ressarçam, na mesma proporção, o dano causado. E a tal ponto é nulo o medo de que eles retomem os antigos costumes que os viajantes, em qualquer percurso pelo qual empreendam viagem, não consideram nenhuma outra pessoa mais prudente para conduzi-los por seu caminho do que esses escravos, sucessivamente trocados a cada região. Não possuem nada que não seja de alguma maneira inoportuno para que um roubo seja perpetrado: as mãos estão inermes, a posse de qualquer dinheiro seria indício de crime, uma punição já está preparada se forem apanhados e não há absolutamente nenhuma esperança de fuga para qualquer lugar. Pelo que está estabelecido, traem e vestem sua própria fuga, já que homem nenhum, de povo nenhum e em qualquer parte estará vestido igual a eles. A não ser que fujam nus! Na verdade, ainda que fujam assim, a orelha os entregaria. Também não há perigo de que venham a conspirar contra a república após terem tramado algum plano: ainda que qualquer imediação pudesse incorrer em tamanha esperança, os escravos de muitas das outras regiões não seriam corrompidos nem agitados. Além do mais, eles estão muito distantes da possibilidade de conspirar, já que não é permitido que se encontrem de fato e nem que conversem ou se cumprimentem. Além disso, de que modo se poderia crer em um plano que deveria ser intrepidamente confiado a outros escravos, uma informação que todos sabem ser perigosa se mantida em segredo, mas extremamente boa se revelada? Ainda mais quando não há ninguém sem esperanças de um dia recuperar sua liberdade obedecendo, suportando e apresentando uma boa expectativa de correção da vida no futuro. Na verdade, não se passa um único ano em que alguns não sejam reconduzidos em aprovação à sua obediência."

"Tendo dito essas coisas, acrescentei que, para mim, não parecia haver motivos pelos quais esse comportamento não pudesse ser aplicado na Inglaterra com resultados muito maiores do que os daquela lei que aquele perito em direito tão ardentemente recomendara. E sobre isso, disse aquele jurisconsulto: 'Seguramente, isso nunca poderá ser assim estabelecido na Inglaterra de um modo que não leve a república a uma crise suprema!' E, ao mesmo tempo em que dizia isso, movia a cabeça e torcia os lábios até o momento em que se calou. E então, todos os que estavam presentes concordaram com a opinião dele."

"O cardeal, então, disse: 'Não há como adivinhar facilmente, sem nenhuma experiência realizada de maneira efetiva, se as coisas serão ou não como convém caso sejam feitas de outra forma. Por certo, se o príncipe, proclamada a sentença de morte, ordenasse que a execução fosse adiada e que, tendo sido coibidos os direitos de asilo, esse costume fosse experimentado, e após isso a questão fosse comprovada como sendo útil, o correto seria estabelecê-la. Em caso contrário, aqueles que foram condenados seriam oprimidos com o suplício, e não seria nem menos nem mais excessivo da parte da república que só então se fizesse tal como o anteriormente determinado. Nesse meio-tempo, nenhum perigo pode surgir disso. Na verdade, parece-me certo que, sem nenhum prejuízo, também podem ser tratados por esse mesmo modo os vagabundos, contra os quais, até agora, embora muitas leis tenham sido criadas, em nada avançamos'."

"Quando o cardeal disse essas coisas, que todos desprezaram ao serem ditas por mim, a essas mesmas, ninguém recompensou com louvores sem avidez, principalmente aquela sobre os vagabundos, visto que fora acrescentada por ele próprio."

"Não sei se deveria manter o silêncio sobre as coisas que se seguiram, pois foram risíveis. Mas vou narrá-las, porque não eram ruins e porque, de alguma forma, são pertinentes a esse assunto. Estava lá presente, por acaso, um certo parasito que gostaria de parecer estar imitando um bobo, mas que representava de tal modo que estava mais próximo do real do que da aparência. Buscava o riso com palavras tão frígidas que ele próprio era motivo de riso com mais frequência do que suas palavras. Porém, às vezes, de alguma forma escapavam ao homem certas coisas que não eram absurdas, dando crédito ao adágio *muitas vezes lançado o dado, uma hora sai o resultado*. Em seguida, surgiu alguém dentre os convivas dizendo que, com o meu discurso, eu já havia meditado bem sobre os ladrões, e que, pelo cardeal, também haviam sido assegurados os vagabundos; depois disso, restava agora uma consulta pública sobre como devem ser tratados aqueles que a doença ou a velhice impeliu à pobreza e deixou impotentes para os trabalhos pelos quais é possível viver."

"Permita-me", disse o parasito. "Pois eu vou cuidar que isso seja feito de um modo correto. Com efeito, desejo que esses tipos de homens miseráveis sejam removidos das minhas vistas para qualquer lugar, já que, frequentemente, me perturbam muito quando imploram por dinheiro com aquelas queixas e lamentações chorosas, que nunca, ainda que tão prestativas, conseguiram cantar de modo que me extorquissem uns trocados. Na verdade, sempre que algum deles chega, ou não devo satisfação ou, de fato, não tenho condição de dar – quando nada há para que seja dado. Por isso, agora, já começaram a conhecer-me, pois não perdem seu trabalho: quando consideram preterir-me, desprezam-me silenciosos e, por Hércules!, nada mais esperam de mim que o quanto esperariam caso eu fosse um sacerdote. Mas esses mendigos, todos, por lei promulgada, eu mandaria que fossem divididos e distribuídos nos monastérios dos beneditinos e que se tornassem monges leigos, como são chamados; as mulheres, ordenaria que fossem freiras."

"O cardeal sorriu e aprovou como um gracejo; os demais também, mas como algo sério. Dentre eles, um certo irmão teólogo divertiu-se tanto com essa fala contra os sacerdotes e os monges que ele próprio, um homem geralmente severo e grave, também começou a brincar: "Mas assim, na verdade", disse, "tu não serás libertado dos mendigos, a não ser que te voltes também a nós, os irmãos!"

"Mas isso já foi arranjado", disse o parasito. "Pois o cardeal, egregiamente, olhou por vós quando pensou sobre os vagabundos, que devem ser enclausurados e, também, realizar trabalhos. Isso porque vós sois os vagabundos máximos."

"Dito isso, quando os seus olhos reunidos sobre o cardeal viram que nele não havia recusas, todos começaram a arrebatar-se, e não sem prazer – exceto o irmão. Este, e certamente não me surpreendo, em tamanho azedume mergulhado, se indignou e se inflamou de tal maneira que não pôde conter as injúrias; chamou ao homem patife, detrator, maledicente e filho da perdição, enquanto citava as mais terríveis ameaças das Santas Escrituras. Nisso, o bobo começou a fazer o seu papel de bobo, pois claramente estava em sua área."

"Não queiras enfurecer-te, bom irmão", disse. "Está escrito: *vós vos tornais senhores de vossas almas em vossa paciência*"[8].

"Em resposta, o irmão disse, e eu reportarei suas próprias palavras: "Não me enfureço, canalha, ou ao menos não peco. Pois disse o salmista: *enfurece-te, mas não peques*"[9].

"O irmão foi, então, suavemente aconselhado pelo cardeal para que contivesse os seus afetos: 'Eu não digo, senhor, a não ser o que devo por causa do bom zelo, pois o bom zelo deve ser considerado pelos homens santos, donde é dito *o zelo da tua casa me consome*[10] e, nas igrejas, é cantado *os que zombam de Eliseu enquanto ele sobe à casa do senhor experimentam o fervor do calvo*. Assim como, certamente, experimentará este zombador, este bobo, este ribaldo'."

"Talvez", continuou o cardeal, "tu o faças com boa disposição, mas a mim tu parecerias não sei se mais santo, mas certamente mais sábio, se contigo, assim, não te comparasses com um homem estulto e ridículo em uma discussão pela qual tu também te transformas em alguém ridículo."

---

8. Lucas 21,19.

9. Salmos 4,4.

10. Salmos 69,9.

"Não, senhor", disse ele, "não me farei mais sábio. Pois o próprio Salomão, homem sapientíssimo, disse: *responde ao estulto segundo a estultice dele*, assim como agora eu faço, demonstrando a esse homem o abismo em que cairá, a não ser que se acautele e muito bem. Pois, se os muitos debochadores de Eliseu, que era um único homem calvo, sentiram o fervor de um único homem calvo, quanto mais sentirá um zombador dos muitos frades, dos quais muitos são calvos? Além do mais, nós temos ainda uma bula Papal por meio da qual todos os que riem de nós são excomungados."

"O cardeal, quando percebeu que o fim não estava próximo, mandou embora aquele homem nascido parasito e mudou a conversa em assuntos mais confortáveis; pouco depois, levantou-se da mesa e, para que fossem ouvidas as questões que os clientes lhe trouxeram, dispensou-nos."

"Vê, meu caro Morus! A ti onerei com uma história longa e que, por ser tão grande, certamente me teria envergonhado se tu não a demandasses tão avidamente nem parecesses ouvi-la como se não desejasses a omissão de qualquer parte dessa conversa, que poderia ter sido um tanto mais curta, confesso. Porém, eu a narrei por inteiro por conta do julgamento daqueles que repeliram com desprezo as coisas ditas por mim, mas voltaram atrás sobre essas mesmas coisas quando não foram desaprovadas pelo cardeal, eles próprios as aprovando; na verdade, essas pessoas são a tal ponto concordes com ele que adulavam as invenções daquele parasito que o senhor, por jocosas, não renegava, e quase as admitiram como algo sério. A partir disso, tu podes estimar o quanto de valor teríamos, para os cortesãos, eu e os meus conselhos."

"Certamente, meu caro Rafael", eu disse, "com grande prazer me comoveste, pois assim, com sagacidade e elegância, todas as coisas são ditas por ti. Além disso, a mim pareceu, nesse ínterim, que não somente retornei à pátria, mas também que, de algum modo, remocei por meio das agradáveis recordações daquele cardeal em cujo paço, quando menino, fui educado. Tão suntuosamente tu favorecestes a memória deste homem, meu caro Rafael! Tu não imaginas o quão mais caro tornastes para mim esse nome, que antes já era caríssimo. De resto, não posso, até este momento, abandonar a minha afirmação sobre aquele ponto pelo qual te penso distinto se acaso conduzisses teu animo de um modo pelo qual não te aborrecesses com os palácios dos príncipes e, assim, pudesses ajudar largamente o interesse público com teus conselhos. Nada se inclina mais à tua obrigação, que é a de um bom homem, do que isso. Quando o teu Platão decreta que as repúblicas só serão felizes se os filósofos reinarem ou se os reis filosofarem, quão longe estará a felicidade se os filósofos não condescenderem nem mesmo a repartir um conselho com os reis?"

"Eles não são", respondeu Rafael, "tão ingratos que não fariam isso prazerosamente. Na verdade, muitos já o fizeram em seus livros: se aqueles que podem assenhorar-se das coisas estivessem preparados, bem os consultando conseguiriam seus conselhos. Sem dúvidas, porém, como bem já previu Platão, a não ser que os próprios reis filosofassem, nunca, impregnados e infectados desde a infância por opiniões corrompidas, nunca reconheceriam detalhadamente os conselhos dos filósofos, o que Platão também pôde experimentar junto a Dionísio[11]. Acaso não pensas que, se eu propusesse princípios sensatos a algum rei e me esforçasse por eliminar, dele, as

11. Dionísio de Siracusa, a quem Platão, em 367 a.C., tentou aconselhar contra a tirania.

perniciosas sementes dos males, eu seria prontamente expulso ou, então, considerado com escárnio?"

"Vamos, imagina que eu estivesse com o rei da Gália e tomasse um assento em seu conselho enquanto, em uma secretíssima sessão, fosse presidida pelo próprio rei uma assembleia de homens prudentíssimos na qual tratassem, com grande entusiasmo, das habilidades e maquinações pelas quais Milão pudesse ser mantida sob o seu domínio e a fugitiva Nápoles fosse novamente recuperada; e depois disso, não importa como, pudessem desapossar Vêneto e subjugar toda a Itália ao rei e, em seguida, transformar Flandres, Brabante e, por fim, toda a Borgonha em domínios seus e, além disso, outros povos dos quais os reinos já invadira em sua mente. Nessa reunião, então, suponha que alguém propusesse a celebração de um tratado com os vênetos, o qual deveria durar tanto tempo quanto fosse cômodo ao rei, e que o conselho fosse compartilhado com eles - e ainda, por que não, que fosse cedida a eles alguma parte dos ganhos que, quando finalizados os acordos, o rei reclamaria de volta por meio de uma sentença; então outro submetesse à deliberação que os germânicos fossem contratados, e outro que os helvéticos fossem atraídos com dinheiro, e um terceiro sugerisse que a grandeza da majestade do imperador[12] deveria ser propiciada, como se fosse um sacrifício, com ouro, enquanto a alguns parecesse que um acordo com o rei de Aragão devesse ser elaborado e que, como se fosse um tratado de paz, o reino de Navarra deveria ser-lhe concedido, ainda que alheio, e nesse ínterim, um outro recomendasse que o príncipe de Castela fosse enrolado com alguma promessa de casamento

12. Maximiliano de Áustria, imperador do Sacro Império Romano.

e que alguns dos nobres cortesãos fossem atraídos para o seu partido por uma determinada pensão; e que então vem à mente o maior nó de todos, o que fazer com relação à Inglaterra durante esse tempo; um tratado de paz certamente teria que ser instituído e a amizade sempre frágil fortalecida com laços mais firmes, ora os chamando amigos, ora os conjecturando como inimigos; também seria necessário manter os escoceses preparados, atentos a todas as ocasiões como se fossem sentinelas, pois, caso os ingleses se agitassem, eles deveriam ser prontamente enviados, movimento esse para o qual algum nobre que entendesse ser o reino a ele devido teria que ser mantido exilado, já que os acordos proíbem que tal manobra seja feita abertamente, para que, com esse pretexto, o príncipe fosse mantido sob sua suspeita; aí, diante de assuntos de tamanha importância, com tantos homens egrégios propondo ao mesmo tempo e com rivalidade os seus planos para a guerra, imagina se eu, um homenzinho pequeno, levantasse e mandasse que as velas fossem viradas, recomendando que a Itália fosse deixada de lado e dizendo que permanecessem em casa, pois o reino da Gália é, por si só, em seu todo, maior que o quanto poderia ser comodamente administrado por um único homem, que o rei não pensasse em planejar trazer, para si, outros reinos; e se eu lhes propusesse os decretos dos acorianos[13], um povo que vive defronte à ilha de Utopia oposto ao Eurônoto e que, outrora, entrou em guerra para que obtivesse outro reino para o seu rei, o qual ele sustentava ser a si devido por uma questão de hereditariedade provinda de um antigo

---

13. *Achoriorum*, palavra utilizada pelo autor, é formada pela partícula de negação α mais a palavra grega *khṓra* (χώρα), que significa "lugar, terra."

matrimônio; porém, quando esse reino foi finalmente conquistado, eles perceberam que os problemas em mantê-lo sob o seu domínio não seriam em nada menores do que os suportados para tomá-lo: pululavam, assíduas, as sementes de rebeliões internas e de incursões externas, e assim estavam sempre lutando ou pelo novo reino, ou contra ele, de modo que nunca foi-lhes dada a chance de dissolver o seu exército; além do mais, durante esse tempo eles foram roubados, seu dinheiro foi transferido para longe, seu sangue devotado à glória mesquinha de estranhos, a paz não estava nem um pouco mais assegurada em casa do que os costumes corruptos na guerra, o desejo do roubo foi bebido, a audácia do assassinato fortalecida e as leis desprezadas, pois o rei, dividindo o seu cuidado entre dois reinos, dirigia muito pouca atenção a qualquer um deles; então, como percebessem que não haveria nenhum fim para tantos males, chegaram a um consenso e com muita resignação deram ao seu rei a opção de que mantivesse apenas um dos reinos, pois não haveria possibilidade de manter ambos, muito grandes para que pudessem ser governados por um rei dividido, quando ninguém admitiria de bom grado que nem mesmo sua própria mula fosse dividida com alguém, e assim, constrangeram aquele bom príncipe a contentar-se com o antigo reino, e o novo foi relegado a um de seus amigos que, pouco tempo depois, foi expulso; se, além disso, eu revelasse todos esses empenhos de guerra pelos quais tantas nações perturbaram-se por causa de um só homem, exauriram os seus tesouros e destruíram o seu povo até que, por fim, tiveram que se entregar de graça a uma sorte qualquer; que, portanto, ele cultivasse o reino herdado, que o ornasse o quanto pudesse e o fizesse o mais florescente, que amasse os seus e pelos seus fosse amado, que junto aos seus vivesse, que imperasse brandamente e permitisse a outros reinos serem fortes, porque esse que agora cabe a ele é amplo o bastante e até demasiado; se eu fizesse isso, meu caro Morus, por quais ouvidos achas que o discurso seria recebido?"

"Com certeza, pelos não muito concordes", eu disse.

"Então continuemos", ele disse; "e se a conselheiros que, em algum lugar, estivessem tratando com o rei e planejando por quais artifícios eles seriam capazes de ampliar o tesouro, enquanto um deles aconselhasse que o valor da moeda deveria ser aumentado quando o dinheiro fosse pago pelo rei e, ao contrário, reduzido abaixo do justo quando fossem coletados os impostos, fazendo com que muito fosse pago com pouco dinheiro e que, a título de pouco, muito fosse recebido; e outro propusesse que o rei deveria simular uma guerra e, com esse pretexto, arrecadar dinheiro até que, quando parecesse oportuno, estabelecesse a paz com cerimônias sagradas por meio das quais, aos olhos do populacho, fosse criada a ilusão de que, evidentemente, o rei, piedoso, lamenta o sangue derramado; e um terceiro trouxesse-lhe à lembrança certas leis antigas já roídas por traças e rejeitadas por causa de um longo desuso, as quais, porque ninguém as lembrasse promulgadas, todos transgredissem: por isso, então, que o rei ordenasse serem exigidas multas por sua infração, e nada se tornaria mais fértil, nada mais glorioso, uma vez que seria feito na presença da máscara da justiça; por um outro, imagina que o rei estivesse sendo persuadido para que, sob pena de altas multas, proibisse diferentes atividades, especialmente aquelas que fossem do interesse do povo, para que depois aqueles aos quais a proibição atrapalharia gastassem o seu dinheiro com essas atividades, fazendo com que, dessa forma, a sua graça se iniciasse em meio ao povo, e duplo fosse o ganho produzido: ou quando multados os que a cupidez do ganho atraiu para a armadilha, ou quando, aos outros, vendesse os privilégios – tão mais caros, é claro, quanto melhor para o príncipe, uma vez que, e assim pensariam, a custo ele permitiria, a qualquer cidadão, qualquer coisa contrária ao benefício do povo, exceto por um grande preço; e então que um quinto conselheiro, ainda, convencesse o rei de que os juízes deveriam ser aproximados dele, os quais, assim, em qualquer que fosse a questão, arbitrariam justamente em seu favor, e que, além disso, eles fossem chamados ao palácio e convidados para discutir as questões na sua presença, pois não havia nenhuma causa tão francamente injusta em que algum dos juízes, seja pelo entusiasmo de contradizer, pela vergonha de dizer a mesma coisa ou para ganhar um agradecimento do rei, não descobrisse uma lacuna que pudesse ser tapada com alguma artimanha; assim, quando os juízes divergissem em suas sentenças e uma questão por si própria claríssima fosse debatida e a verdade entrasse em xeque, nesse momento, então, seria dada ao rei a oportunidade de decidir o que é justo conforme a sua conveniência, pois os outros, por pudor ou por medo, passariam a concordar e, assim, mais tarde, uma sentença poderia ser intrepidamente obtida ante o tribunal, já que nunca falta um pretexto para que seja possível pronunciar-se em favor do príncipe e que, além do mais, lhe basta que a justiça esteja ao seu lado, as palavras da lei, o sentido intrincado do que está escrito ou, por fim, o que prepondera junto aos juízes devotados mais do que todas as leis, a incontestável prerrogativa do príncipe; afinal, todos eles consentem e concordam com a máxima de Crasso[14], segundo a qual *nenhuma quantidade de ouro é suficiente para o príncipe que deseja manter um exército*, e acreditam que um rei não pode fazer nada de maneira injusta, ainda que deseje; além disso, creem que todas as coisas de todas as pessoas sejam dele, e até mesmo as próprias pessoas, porque tanto há de próprio para qualquer um quanto a bondade do príncipe ainda não tirou dele, pois muito importa ao príncipe que sejam mínimas as posses e que sua proteção seja a ele permitida, já que assim o povo não se excederá nem pela riqueza, nem pela liberdade, coisas essas que tornam menor a tolerância com as ordens duras e injustas, enquanto, por outro lado, a pobreza e a necessidade enfraquecem os ânimos, remontam a tolerância e arrebatam aos oprimidos o nobre espírito do rebelar-se; então se eu, levantando-me, sustentasse ante o rei que todos esses conselhos são desonestos e perniciosos e que não somente a honra, mas também a segurança situam-se mais nos interesses do povo do que nos seus, se eu mostrasse que as pessoas escolhem um rei não pelas causas dele, mas pelas suas próprias, para que vivam comodamente com os seus trabalhos e dedicações, a salvo de injustiças, e que mais pertence ao príncipe a preocupação de que o povo esteja bem do que aquela consigo próprio, o que não é diferente do trabalho do pastor em alimentar melhor seu rebanho do que a si próprio, visto ser um pastor; e argumentasse que, contudo, os reis supõem que a pobreza do povo é o reduto da paz quando a própria questão mostra-lhes que estão se desviando, por muito longe, do caminho, pois não há brigas maiores que entre os mendigos, nem quem deseja mais que as coisas mu-

14. Adaptação de uma passagem da obra *De officiis* (1.8.25), de Marco Túlio Cícero.

dem do que aquele a quem muito pouco agrada a atual condição de vida, e nem em quem seja maior o ímpeto tão audaz de perturbar a ordem de todas as coisas com esperança de lucrar de qualquer forma do que naquele a quem já não existe nada que se possa perder; caso eu alegasse que, se algum rei é a tal ponto desprezado e odiado pelos seus que, de outra forma, não os possa conter em seu trabalho a não ser que proceda por meio de abusos, saques e confiscos e, assim, os conduza à mendicância, a esse rei certamente seria preferível abdicar ao reino que mantê-lo por artimanhas pelas quais, ainda que conserve o nome do império, certamente perderá a majestade, porque não há dignidade em um rei que comanda mendigos, mas sim no que comanda as pessoas mais opulentas e felizes - certamente isso é o que Fabrício[15], um homem de espírito nobre e sublime, percebeu quando respondeu que preferia reinar sobre homens ricos que ser, ele próprio, rico; que, sem qualquer dúvida, qualquer um que viva sozinho no luxo e nos prazeres enquanto uns gemem e outros se lamentam não é o responsável por um reino, mas o guarda de uma prisão, tal como um médico muito imperito que não sabe curar um doente a não ser com outra doença e que, assim, não conhece outro caminho para corrigir a vida dos cidadãos que não arrebatar-lhes as comodidades, que é alguém que, por fim, confessa não saber reinar sobre homens livres; e dissesse ainda que ele deveria, de preferência, modificar sua apatia e sua soberba, pois, em geral, por causa desses vícios, acontece de o povo desprezá-lo ou considerá-lo com ódio; que, inocente, ele viva dos seus recursos, que ajuste as despesas aos

---

15. Caio Fabrício Luscino, político romano do séc. III a.C.

ganhos, que contenha os malefícios e que mais se preocupe com a boa educação dos seus do que permita primeiro que cresçam para que depois sejam punidos; que não reviva as leis abolidas conveniente ou temerariamente, particularmente aquelas das quais, há tempo abandonadas, nunca foi sentida a falta, e que nunca obtenha, por essa sorte de delitos, qualquer coisa que um juiz não permitiria que um cidadão recebesse do mesmo modo por ser algo injusto e sorrateiro; e se eu lhes propusesse a lei dos macários[16], um povo que não vive muito distante de Utopia, cujo rei, no primeiro dia em que toma posse do império, é obrigado a jurar, enquanto realiza grandes oferendas, que nunca vai manter em seu tesouro uma quantia superior a mil libras em ouro ou em uma quantia de prata que equivalha ao valor do ouro, lei essa que, eles dizem, foi instituída por um certo rei muito bom, para quem a comodidade da pátria foi uma preocupação maior do que o enriquecimento próprio, no intuito de servir como obstáculo ao acúmulo de uma quantidade tamanha de dinheiro que levasse à pobreza o seu povo, pois considerava que esse tesouro seria o suficiente tanto em caso de uma insurgência contra o rei, como no caso de uma incursão inimiga ser conflagrada contra o reino e que, além disso, seria pequena para que excitasse os ânimos alheios a uma invasão, sendo esse o principal motivo para que ele tenha estabelecido a lei; outro motivo seria porque, assim, ele pensou garantir que não faltasse o dinheiro com o qual se mantém o intercâmbio entre os cidadãos no dia a dia; ele teria suposto ainda que, por também ser obrigatório ao

---

16. Nome derivado do grego *macários* (μακάριος): "abençoado, feliz."

rei dispender com os gastos públicos qualquer quantia que aumentasse o tesouro acima do limite legítimo, ele não seria demandado em casos de injúria; se eu dissesse que um tal rei seria tanto temido pelos maus, como amado pelos bons; se tudo isso, então, eu levasse desse modo a homens veementemente inclinados para o lado oposto, essa história toda não seria narrada a surdos?"

"A surdíssimos", eu disse, "sem dúvida! Mas certamente eu não me espanto, pois, para que diga a verdade, não me parecem debates que devam ser levados ou conselhos que devam ser dados desse modo a quem com certeza nunca os vai admitir. Quanto poderia ser vantajoso ou, ainda, de que modo uma discussão tão inusual poderia influir no peito deles, já que, no seu espírito, a crença oposta ocupou o primeiro lugar e lá dentro tomou assento? Junto a amigos queridos em uma reunião familiar, essa filosofia acadêmica não é desagradável. Além disso, nos consílios de príncipes, onde grandes questões de grande importância são discutidas, não há lugar para esse assunto."

"É isso o que eu falava", disse ele. "Não há lugar para a filosofia junto aos príncipes."

"Sim", eu disse, "é verdade: não para essa filosofia acadêmica, que qualquer um pensa ser adequada em qualquer lugar; mas há outra, mais civilizada, que sabe o seu público e que a ele se adapta desempenhando seus papéis impecável e decorosamente em qualquer peça que tenha às mãos. Esta há de ser útil a você. Por outro lado, se, enquanto estiver sendo encenada uma comédia qualquer de Plauto com escravinhos fazendo brincadeiras entre si, tu apareceres no palco com uma expressão de filósofo e repetires aquela parte da *Otavia*[17] na qual Sêneca discute com Nero, acaso não seria preferível ter interpretado um personagem mudo a um recitando coisas estranhas que da tal comédia fizessem uma tragicomédia? Assim, por certo, tu corromperias e perverterias a peça encenada enquanto nela misturasses coisas diferentes, ainda que as trazidas por ti fossem melhores. Qualquer que seja a peça que tens à mão, interprete-a o quão melhor puderes e não a bagunces toda porque à tua mente veio uma outra que seja mais agradável."

"Assim é na república, e assim nos concílios dos príncipes. Se as opiniões tortas não podem ser arrancadas pela raiz, nem tu és capaz de remediar, de acordo com o parecer do teu espírito, os vícios admitidos pelo uso, ainda assim a república não deve ser abandonada tal qual um navio deve ser deixado em meio à tempestade por não conseguires conter os ventos. Uma discussão, porém, desusada e incomum não deve ser levada a quem tu sabes inclinado a posições contrárias por não estar habituado a essa carga; deves, pois, tentar um outro caminho e por ele esforçar-te para que, ante a tua maturidade, trates comodamente de todos os assuntos – e o que não possas converter em algo bom, ao menos faças que seja o mínimo mal possível. Não podes fazer com que todas as coisas sejam bem-feitas, a não ser que todos sejam bons, o que, desde há muito e até agora, não espero ver nos próximos muitos anos."

"Por esse método", Rafael disse, "não aconteceria nada diferente disto: enquanto eu me esforçasse por remediar a insânia dos outros, eu mesmo, com eles, me tornaria louco, pois, se eu quero falar a ver-

---

17. Tragédia comumente atribuída a Sêneca, é hoje creditada a um Pseudo-Sêneca.

dade, é necessário que eu diga essas mesmas coisas. Além disso, desconheço que falar mentiras seja próprio aos filósofos: a mim, certamente não o é. Ainda que essa minha discussão possa ser possivelmente desagradável e chata para os conselheiros, não vejo por que deva ser considerada incomum em todos os seus aspectos a ponto de ser absurda. Pois se eu dissesse aquelas coisas que Platão imagina em sua república ou que os utopienses praticam na sua, mesmo que elas fossem melhores, como certamente o são, ainda assim elas podem ser consideradas estranhas, porque, aqui, as posses são propriedades dos indivíduos, enquanto lá elas são comuns."

"Pois bem: a não ser porque não pode ser proveitoso que alguém relembre e demonstre os perigos àqueles que, precipitados, decidiram destruir os caminhos divergentes, o que a minha fala tem, no geral, que convenha ou seja bom não ser dito em qualquer que seja o lugar? De minha parte, se qualquer coisa que os costumes perversos dos homens fizeram ser considerada estranha deve ser omitida porque sejam todas incomuns e absurdas, convém que desprezemos, mesmo junto aos cristãos, a maior parte de tudo que Cristo ensinou – e, na verdade, com respeito a isso, ele mesmo proibiu que fossem desprezadas, porquanto ordenou que fossem publicamente proclamadas sobre os telhados[18] as coisas que insinuou aos ouvidos dos seus. A maior parte dos seus ensinamentos é, de longe, mais estranha a esses costumes do que foi a minha fala, exceto porque os pregadores, homens hábeis e que, conforme eu acredito, seguem esse teu conselho, quando perceberam que as pessoas relutavam em adaptar os seus costumes ao gabarito de Cristo, acomodaram a sua doutrina, como se fosse

---

18. Mateus 10,27; Lucas 12,3.

régua de chumbo[19], aos seus costumes para que estivessem a eles claramente conectados ao menos de alguma forma. Com isso, não vejo terem progredido em nada, a não ser para que fosse possível sentirem-se mais seguros em ser maus."

"Certamente, isto é tudo o quanto eu realizaria em um conselho de príncipe, pois ou eu pensaria coisas diversas, o que seria igual a não pensar nada, ou as mesmas, e assim, como disse o Micião de Terêncio, *eu seria um assistente da sua loucura*[20]. Não vejo aquele teu outro caminho, o que a ti agradou, pelo qual tu pensas, caso não seja possível que todas as coisas sejam transformadas em algo bom, ser necessário esforçar-se para que elas sejam tratadas comodamente e feitas, tanto o quanto se possa, o mínimo más possível. Por certo, um concílio não é um lugar em que é permitido ser dissimulado, nem fazer vistas grossas: devem ser abertamente aprovados os piores conselhos e, aos mais pestilentos decretos, deve-se subscrever. Ademais, aqueles que aprovarem uma resolução com falsidade ou má vontade serão vistos como espiões ou, na maior parte das vezes, como traidores. Fora isso, nada ocorre em que possas ser útil, pois foste jogado em meio a colegas que mais facilmente corrompem os melhores homens do que corrigem a si próprios; ou serás deformado por seus costumes perversos, ou tu mesmo, mantendo-te íntegro e inocente, encobrirás a malícia e a estupidez alheias. É tanta a distância que dificilmente há chan-

---

19. A ideia aqui é a de que, utilizando-se uma régua de chumbo, um metal maleável nas condições ambientes, as medidas possam ser manipuladas de acordo com a vontade de quem mede.

20. Micião é um dos personagens da comédia *Os Adelfos*, de Públio Terêncio Afer (séc. III a.C.).

ce de mudar o que quer que seja para melhor por meio daquele outro caminho."

"Por esse motivo, com uma belíssima comparação, Platão[21] declara que, por mérito, os sábios se abstêm de procurar conhecer os assuntos públicos. Se vissem o povo espalhado pelas ruas, molhando-se em uma chuva constante, não seriam capazes de persuadi-los a saírem da chuva e esconderem-se sob os telhados, pois sabem que de nada mais valeria eles próprios saírem do que para molharem-se também; se mantiverem-se sob os telhados, teriam o suficiente, porque, não podendo remediar a estupidez alheia, ao menos manteriam a si próprios em segurança."

"Mas certamente, meu caro Morus - para que eu realmente diga o que trago no espírito -, parece-me que em qualquer lugar em que as propriedades sejam privadas, onde todos medem todas as coisas com o dinheiro, aí, então, em qualquer que seja o momento, dificilmente será possível fazer com que o interesse comum seja conduzido de maneira justa ou próspera, a não ser que tu acredites haver justiça onde as melhores coisas acorrem às piores pessoas, ou que seja mais feliz o lugar onde tudo é dividido entre pouquíssimos ou qualquer outro em que uns estejam habituados à comodidade, enquanto outros o estejam à mais completa miséria."

"Por esse motivo, quando repenso em meu espírito as santíssimas e prudentíssimas instituições dos utopienses, junto aos quais os assuntos são tão comodamente administrados por tão poucas leis que, mesmo existindo uma recompensa para a virtude, todas as pessoas têm todas as coisas em abundância; quando, então, oponho aos seus costumes tantas

21. *República*, 6.496.

outras nações que estão sempre regulamentando e nenhuma de suas regras é para sempre satisfatória, onde algo que alguém obtém é logo considerado sua propriedade, povos cujas muitas leis firmadas diariamente não são suficientes seja para que se consiga, para que se conserve ou para que, satisfatoriamente, se distinga do alheio aquilo que qualquer pessoa, por sua vez, nomeie como sua propriedade – isso, pois, é o que indicam aqueles infinitos litígios cujo surgimento é tão regular quanto a sua não resolução; tais coisas, eu disse, quando considero aqui comigo, fazem com que eu me torne mais simpático a Platão e que me espante menos por ele ter desdenhado de criar, àqueles que as recusavam, quaisquer leis pelas quais todos os homens deveriam compartilhar tudo o que fosse apropriado de acordo com a equidade[22]. Com efeito, um homem mais prudente facilmente vê que este, e somente este, é o caminho para o bem-estar comum: que a igualdade das coisas seja proclamada, a qual, desconheço, nunca pode ser observada quando as posses são propriedades privadas. Na verdade, no momento em que alguém, por meio de certos pretextos, conseguir arrastar para si o quanto possa, por maior que seja a abundância das coisas, poucos a partilharão entre si e relegarão a pobreza aos restantes: em geral, acontece que aqueles são mais merecedores da sorte, ainda que exploradores, desleais e inúteis, do que estes homens modestos e simples, os quais, por seu trabalho diário, são mais generosos com o que é público do que consigo mesmos."

"Dessa forma, convenço-me plenamente de que nem algo pode ser distribuído justa e igualitariamente,

---

22. Diógenes Laércio (*Vidas e doutrinas dos filósofos antigos*, 3.23) fala que Platão teria sido convidado para ser o legislador de Megalópolis, função que ele teria recusado.

por qualquer que seja o método, nem os negócios dos mortais podem ser conduzidos com felicidade a não ser que a propriedade seja destruída por completo. Ela permanecendo, porém, sempre subsistirá, por muito e muito tempo, junto à maior e melhor parcela dos homens, o peso inevitável e angustiante da pobreza e da miséria. Este, eu confesso, pode ser um pouco atenuado, mas sustento que não pode ser completamente anulado. Com certeza, pode-se estabelecer uma lei para que ninguém se apodere de uma medida de terra acima do correto, ou para que exista uma quantidade de dinheiro justa para cada cidadão; poder-se-ia assegurar por certas leis que nem o príncipe fosse excessivamente poderoso, nem o povo excessivamente insolente; então, seria necessário fazer com que os cargos públicos não fossem nem solicitados, nem entregues ou comprados mediante pagamento – de outro modo, tanto seria dada a chance de que buscassem ressarcir o dinheiro por fraudes e extorsão, como seria inevitável que os ricos fossem colocados no comando desses cargos que preferivelmente deveriam ser administrados pelos mais prudentes. Por tais leis, eu digo, do mesmo modo que os corpos enfermos e de saúde miserável costumam ser fortalecidos por cataplasmas constantes, essas maldades podem ser mitigadas e suavizadas. Mas, para que sejam curadas, na verdade, e revertidas em bons hábitos, não há absolutamente nenhuma esperança enquanto as propriedades forem de cada um. Enquanto tu te preocupas com o tratamento de uma única parte, inflamas as chagas de vários outros, e assim, do remédio de um, surge, ao mesmo tempo, a doença de outro, pois que nada pode ser dessa forma acrescentado a alguém que não seja retirado de outrem na mesma medida."

“Para mim, porém”, eu respondi, “parece o contrário: nunca será possível viver comodamente onde tudo seja comum. Como é possível haver abundância tendo-se em vista que o desejo do benefício próprio não urge em qualquer um que se furte ao trabalho, e a confiança no empenho alheio retorna em morosidade? E quando forem atormentados pela pobreza e, sem a ajuda de qualquer lei, ninguém puder preservar como seu aquilo que nasce de si próprio, acaso não seria inevitável que tudo sucumbisse à morte e à sedição contínuas? Especialmente ao serem destruídos o respeito e a autoridade dos magistrados, dos quais não consigo, de fato, divisar qual seja o lugar junto a homens entre os quais não existe nenhuma distinção.”

“Não me admira”, disse Rafael, “que assim te pareça, porquanto a ti ou acorre uma imagem falsa dos seus aspectos, ou nenhuma. Por certo, se tivesses estado comigo em Utopia e visto seus costumes e instituições como eu o fiz lá presente, onde vivi por mais de cinco anos, donde jamais desejei sair a não ser para revelar aquele novo mundo, então tu certamente admitirias nunca ter visto um povo tão corretamente instituído em outro lugar que não aquele.”

“De qualquer forma”, disse Peter Giles, “com certeza vais ter dificuldades em me convencer de que, naquele novo mundo, pode ser encontrado um povo melhor instituído que neste por nós já conhecido; assim como neste o engenho não é menor, naquele, eu acredito, não são mais velhos os governos; além do mais, neste, uma longa experiência conduziu a um grande número de benefícios à vida, isso para não acrescentar, ainda, as coisas por nós descobertas por acaso, às quais nenhum talento seria suficiente para que fossem pensadas.”

"No que diz respeito à antiguidade do seu governo", respondeu Rafael, "tu poderias pronunciar-te mais acuradamente se tivesses lido as histórias daquele novo mundo. Se a elas deve-se dar crédito, havia cidades entre eles antes mesmo de haver homens entre nós. Já o que até agora o engenho trouxe ou o acaso revelou, na verdade, poderia ter vindo à luz em ambos os lugares. Além disso, eu realmente acredito que, independentemente de os excedermos em engenho, em entusiasmo e empenho somos deixados muito longe para trás."

"Por outro lado, conforme registram seus próprios anais, antes do nosso desembarque por lá, nenhum deles ouvira nada sobre nós, a quem eles chamam de ultraequinociais, a não ser o que os chegou por conta de um certo navio que há mais de 1.200 anos naufragou junto à ilha de Utopia trazido por uma tempestade. Nessa ocasião, alguns romanos e alguns egípcios foram lançados à praia e, depois, nunca mais partiram de lá."

"Veja o quanto o seu empenho fez oportuna a eles essa única ocasião. Nada havia de arte no Império Romano e que pudesse ser usada por qualquer um que eles ou não aprenderam pela exposição aos estrangeiros ou não desenvolveram empenhando-se com as sementes recebidas. Quão grande foi a eles, que nunca foram levados dali, o benefício deste único momento! Porém, se alguma fortuna similar enviou, de lá para cá, alguns homens no passado, tão profundamente esse fato foi esquecido como, talvez, também desaparecerá em sua posteridade o de que eu estive lá um dia. Eles, em um único encontro, imediatamente fizeram seu, e de maneira vantajosa, qualquer invento que tenha sido feito por nós: por esse motivo, eu penso, um bom tempo se passará até que nós aceitemos qualquer coisa que, junto a eles, tenha sido melhor instituída do que entre nós. Esse empenho, conforme eu acredito, e já que nós não somos inferiores a eles nem em engenho, nem em recursos, é a única e principal causa pela qual tanto o seu interesse é mais habilmente administrado do que o nosso, como sua vida floresce mais felizmente do que a nossa."

"Então, meu Rafael", eu disse, "te peço e suplico: descreve-nos a ilha; não queiras ser breve: explica, em ordem, os campos, os rios, as cidades, os homens, os costumes, as instituições, as leis e, por fim, qualquer coisa que até agora não tenhamos conhecido."

"Nada me fará mais feliz", respondeu ele, "pois tenho isso tudo já de pronto. Mas o assunto demanda calma."

"Então", eu respondi, "entremos e almocemos; depois, utilizamos o nosso tempo à vontade."

"Que seja", disse Rafael. Assim, após termos entrado, almoçamos. Tendo almoçado, retornamos ao mesmo lugar e sentamo-nos no mesmo banco; avisados os atendentes para que não nos interrompessem, eu e Peter Giles exortamos Rafael para que cumprisse o que fora prometido. Ele, então, quando nos viu ouvindo ávidos e atentos, ajeitou-se e, em silêncio e pensando um pouco, começou deste modo.

***

Fim do primeiro livro.

Segue-se o segundo.

Discurso que Rafael Hitlodeus proferiu sobre a melhor condição de uma república

Livro segundo, por Thomas Morus, cidadão e visconde londrino

A ilha dos utopienses, em sua parte medial, que é larguíssima, estende-se por duzentas milhas e, embora não seja muito mais estreita por toda a sua extensão, se afunila aos poucos em ambos os seus extremos. Esses, por sua vez, evoluem em um círculo de quinhentas milhas de circunferência, emoldurando toda a ilha em uma espécie de lua nova, cujos cornos o mar, entre eles fluindo, divide em um espaço de mais ou menos onze milhas. Ingente, pelo espaço vazio ele se estende, completamente envolto pela terra e escondido dos ventos, nos moldes de um vasto lago mais estagnado que bravio; quase todo o ventre da terra serve como porto, e os navios transitam de todos os lados para a grande comodidade dos homens. Com bancos de areia de um lado e pedras do outro, o canal é formidoloso. Quase no meio da abertura entre os cornos, projeta-se uma inofensiva pedra que sustenta uma torre construída para a sua proteção; as outras pedras, escondidas, são perigosas. Os canais são conhecidos apenas pelos próprios utopienses; por essa razão, não acontece de um estrangeiro qualquer penetrar imprudentemente nesta baía, a não ser que conduzido por um piloto utopiense, e mesmo para eles é difícil entrar lá em segurança, a não ser que se guiem por certos sinais nas praias, os quais, regularmente transferidos para locais diferentes, facilmente arrastariam para a morte uma numerosa frota de inimigos.

Os portos não eram incomuns do outro lado da faixa de terra. Em todas as partes, porém, os desembarques em terra eram a tal ponto protegidos pela natureza ou pelo esforço de mãos humanas que tropas descomunais podiam ser contidas, aos poucos, pelos defensores. Contudo, conforme dizem e como certamente aquela parte da ilha demonstra, antigamente a sua terra não era circundada pelo mar. Mas Utópio – nome que emprestou à ilha, considerando ser ele o conquistador, já que antes desse tempo ela era chamada de Abraxas[23] –, quem conduziu a turba rude e rústica a um ponto em que, agora, sobrepuja quase todos os mortais em cultura e humanidade, cuidou para que quinze milhas de solo fossem rebaixadas naquela parte em que a península se ligava ao continente, e assim o mar circundou a terra. Nessa tarefa, não congregou somente os locais para que não conduzissem o trabalho como um ultraje, mas uniu, além desses, todos os seus soldados. A obra foi distribuída por tamanha multidão de homens e terminada com uma celeridade tão incrível que o

23. Basílides, gnóstico grego do séc. II de nossa era, havia postulado a existência de 365 céus, dos quais o último era designado pelo nome *Abrasax*, do grego Αβϱασαξ, palavra cujas letras somadas de acordo com o seu valor numérico resultam no número 365 ($\alpha = 1$, $\beta = 2$, $\varrho = 100$, $\alpha = 1$, $\sigma = 200$, $\alpha = 1$, $\xi = 60$).

seu sucesso impressionou admirável e temivelmente os vizinhos, que, de início, riram da futilidade da empreitada.

A ilha possui cinquenta e quatro cidades, todas espaçosas e magníficas, com língua, costumes, instituições e leis exatamente iguais. A construção de todas também é a mesma, da mesma forma e em qualquer lugar, e iguais as aparências, ao menos até aquele ponto em que é permitido pelo terreno. Destas, as mais próximas entre si estão separadas por vinte e quatro milhas de distância. Nenhuma, porém, é tão distante que dela não se possa chegar a outra cidade por um percurso de um dia a pé.

A cada ano, as cidades concordam em enviar para Amaurota[24] três anciãos peritos nas questões sobre os interesses comuns das comunidades. Uma vez que ela está localizada exatamente no centro da ilha, mantém-se oportuna aos delegados de todas as partes, além de ser considerada sua primeira e principal cidade. Os campos foram tão oportunamente distribuídos aos cidadãos que nenhuma cidade tem menos de doze milhas de território em qualquer de suas partes: evidentemente, as cidades que, entre si, estão separadas por uma distância maior, têm territórios também maiores. Nenhuma cidade deseja avançar suas fronteiras, e os cidadãos se consideram mais agricultores do que donos dos terrenos que possuem. Na zona rural, a cada distância determinada, foram providencialmente dispostas casas equipadas com instrumentos rurais, as quais são habitadas durante certos períodos de tempo pelos cidadãos que estão de passagem de um lugar para outro. No campo, nenhuma casa tem menos de quarenta pessoas entre homens e mulheres, além de dois escravos que não

24. Do grego *amaurós* (ἀμαυρός: "escuro").

são somados a essa quantia. Um pai e uma mãe, sérios e maduros, são escolhidos como chefes da família, e a cada trinta casas um filarco[25] é delegado. Anualmente, vinte pessoas de cada uma das casas - as que completam dois anos no campo - retornam para a cidade. Para o seu lugar, novos moradores são escolhidos na cidade e em igual quantidade, de forma que eles podem ser instruídos por aqueles que já estão lá há um ano e são, então, mais peritos nos assuntos do campo; assim, no ano seguinte, os outros poderão ser ensinados, pois, se todos no campo fossem igualmente novos e rudes na agricultura, eles seriam, de alguma forma, prejudicados pela imperícia na produção. Esse costume de serem renovados os agricultores é, pois, uma prática para evitar que ninguém seja forçado a permanecer, relutante, em uma vida mais severa por muito tempo; ainda assim, a natureza fascina muitos deles com o esforço nas atividades rurais, os quais buscam continuar ali por muitos anos.

Os agricultores cultivam a terra, alimentam os animais, ajuntam lenha e a transportam para a cidade por terra ou por mar, conforme seja melhor. Criam uma quantidade infinita de galinhas com um método extraordinário: não são, pois, as galinhas que incubam os ovos, mas, mantendo um grande número deles constantemente aquecidos por uma fonte de calor específica, são os homens que os chocam e criam. No momento em que os filhotes saem da casca, eles seguem e reconhecem seus criadores ao invés das mães.

Mantêm muito poucos cavalos, que não são nem os mais ferozes, nem outros que não sejam utiliza-

25. Do grego *phylarkhós* - φυλαρχός (φυλή: "tribo"; αρχός: "chefe").

dos para os exercícios equestres da juventude. Assim, empregam os bois em todos os seus trabalhos, seja de cultivo ou de transporte, os quais, conforme eles admitem, mesmo que sejam inferiores aos cavalos em ímpeto, os vencem em resistência e não são, acreditam, suscetíveis a tantas doenças; além do mais, podem ser sustentados com despesas menores, assim como o são os esforços necessários e os custos. Por fim, aposentados dos trabalhos, ainda podem ser utilizados como alimento.

Aproveitam as sementes somente para o pão. Bebem vinho feito de uvas, de maçãs ou de peras, ou ainda, às vezes, água pura: frequentemente, porém, fervem-na com mel ou alcaçuz, os quais não possuem em pouca quantidade. Ainda que tenham já estabelecido, e de maneira muito precisa, o quanto de provisões a cidade consome, assim como as regiões que a circundam, produzem uma quantia muito maior de grãos e criam muito mais gado do que o suficiente para o seu uso, e o que resta é repartido com seus vizinhos. Qualquer coisa que seja proveitosa e que eles não tenham no campo é solicitada à cidade e, mesmo sem nada para oferecer em troca, conseguem tudo junto aos magistrados sem qualquer problema. Além disso, a cada mês, a maioria deles vai à cidade para o dia de festas. Quando o dia da colheita se aproxima, os filarcos dos agricultores anunciam aos magistrados das cidades que número de cidadãos convém ser a eles enviado: assim, quando se aproxima o dia mais oportuno, finalizam toda a colheita com uma multidão de colhedores em um único e tranquilo dia.

De suas cidades e, nomeadamente, de Amaurota

Quem conheceu uma de suas cidades conheceu todas, pois elas são, até o ponto em que a natureza do lugar não impede, completamente similares entre si. Vou retratar, então, qualquer uma delas, sem dizer exatamente qual. Mas qual seria melhor que Amaurota? Nenhuma é, pois, mais digna, porquanto as outras enviam-na, por seu reconhecimento, os seus delegados para o senado; nenhuma é, também, mais conhecida por mim, já que nela vivi por cinco anos seguidos.

Amaurota está situada em um declive ameno de uma montanha e tem uma configuração, no geral, quadrada. Sua extensão começa um pouco abaixo do cimo da montanha e se prolonga por duas milhas até o rio Anidro, seguindo sua margem por uma boa distância. O Anidro nasce oitenta milhas acima de Amaurota, de uma fonte módica, mas é encontrado por outros rios, dois deles medianos, e o seu curso aumenta – na altura da cidade, sua largura chega a quase meia milha. Cada vez mais amplo, flui durante sessenta milhas e é então encontrado pelo mar. Por todo o espaço que está entre a cidade e o mar, e também por umas boas milhas acima da cidade, a cada seis horas completas, o fluxo e o refluxo da maré influem alternadamente na velocidade do rio. Quando o mar se assoma, se assenhora de todo o leito do Anidro ao longo de trinta milhas com suas ondas, forçando o rio para trás. Além disso, corrompe bastante as águas com sua salmoura, depois do que, aos poucos, o rio vai se tornando doce, e chega estreme à cidade, e de novo segue, se afastando puro e incorrupto, para perto de sua fonte.

A cidade está unida à margem oposta do rio por meio de uma ponte apoiada não em pilares e estacas de madeira, mas em um egrégio arco trabalhado em pedra. Por ela, em uma parte muito distante do mar, os navios podem navegar livres de obstáculos para todos os lados da cidade. Os utopienses contam, além disso, com outro rio, não grande como esse, mas extremamente plácido e agradável. Saindo em abundância daquela mesma montanha em que a cidade está situada e fluindo em meio a ela por causa da inclinação, esse rio se mistura ao Anidro. Os amaurotas, circundando com fortificações sua fonte, que não está muito distante da cidade, uniram-na à cidadela para que as forças hostis não avancem por ali, nem seja possível interceptar, desviar ou mesmo corromper sua água. Sendo assim, a água é desviada para as partes inferiores da cidade, em diferentes direções, por meio de canais de tijolos; se em algum lugar o terreno impede que isso seja feito, a chuva é, tanto quanto possível, coletada por largas cisternas e disponibilizada para o uso.

Um muro alto e largo cinge a cidade, apresentando um grande número de torres e propugnáculos. Um fosso seco, mas alto, largo e obstruído por cercas de sarças, circunda as muralhas em três dos lados da cidade; no quarto, o próprio rio vale por fosso. As ruas são favoravelmente traçadas não somente para o transporte, mas também para oporem-se aos ventos. Os edifícios não são, de modo algum, mesquinhos; sua longa e contínua sucessão por toda a vila é observada, do outro lado da rua, pelas fachadas das casas. A rua separa as fachadas das vilas por vinte pés. Por trás das fileiras das casas, por quanto seja o comprimento das vilas, um longo jardim se estende, rodeado, de ambos os lados, pelas costas das vilas.

Não existe nenhuma casa que não tenha a porta da frente voltada para rua e a porta de trás para o jardim. Além do mais, essas portas, bífores, que com um leve toque da mão se abrem e, depois, por vontade própria, se fecham, admitem qualquer pessoa, pois não existe nada privado – as próprias casas, uma vez a cada dez anos, são trocadas entre os cidadãos por sorteio. Os jardins são magníficos: possuem vinhas, frutas, ervas e flores cuidadas com tanto esplendor que jamais vi algo mais frutífero ou mais elegante. Não é, pois, somente o esforço dos moradores e a sua volúpia que os inflamam nessa atividade, mas também uma competição entre as vilas pelo melhor cultivo do jardim. Com certeza, tu não descobrirás com facilidade em toda a cidade outra atividade qualquer que seja mais favorável ao divertimento e ao prazer dos cidadãos. Ao que parece, aquele que fundou a cidade não considerou nenhum outro assunto com um cuidado maior do que esse dos jardins.

Dizem, pois, que toda essa configuração da cidade foi descrita de antemão pelo próprio Utópio, que, porém, deixou para que fossem realizados pelos vindouros o seu aperfeiçoamento e a sua decoração, pois viu que a vida de um único homem não seria suficiente para isso. Assim está escrito em seus anais, os quais eles preservam transcritos religiosa e diligentemente, abrangendo a história de mil e setecentos e sessenta anos desde a ocupação da ilha: no início, as moradias eram pequenas, como cabanas ou choças, construídas de qualquer jeito e com qualquer tipo de madeira, as paredes eram rebocadas com barro e os tetos, agudos na cumeeira, cobertos com palha. Mas agora as casas de todas as pessoas surgem em uma configuração de três andares, as fachadas das paredes são erguidas com pedra, cimento ou tijolos queimados e, interiormente, preenchidas com cascalho. Os tetos avançam planos, os quais eles protegem com uma argamassa qualquer, de baixo custo, mas com uma mistura que não é suscetível ao fogo e que supera o chumbo na tolerância dos danos das tempestades. Os ventos, pois é normal que lá eles sejam muito frequentes, são repelidos pelas janelas por meio do vidro; às vezes, porém, preferem um tecido fino que untam com um óleo transparente ou com resina, o que é, com certeza, duplamente cômodo, pois, fazendo assim, tanto será transmitida uma quantidade maior de luz como menos vento será admitido.

Dos magistrados

Anualmente, cada trinta famílias elegem para si um magistrado, a quem, em sua antiga língua, chamavam sifogranto[26] e, mais recentemente, filarco. Cada dez sifograntos, junto com suas famílias, eram antigamente chefiados por um traníboro[27], agora chamado protofilarco. Os sifograntos, que são duzentos, encarregados por um juramento e por meio de uma votação secreta, anunciam quem eles julgam ser o mais vantajoso príncipe dentre, é claro, os quatro candidatos que o povo indica, visto que cada quarta parte da cidade designa um escolhido ao senado. O príncipe é um magistrado vitalício, a não ser que a suspeita de um desejo pela tirania o impeça. Os cidadãos elegem os traníboros anualmente, mas aqueles que ocupam o cargo não costumam ser trocados sem razão específica. Todos os outros magistrados permanecem no cargo só por um ano.

A cada três dias e, às vezes, durante esse tempo, se acaso algum assunto o requerer, os traníboros encontram-se com o príncipe. Deliberam sobre os interesses da comunidade e demoram-se o menor tempo possível nas controvérsias entre particulares, que são,

---

26. Do grego *syfeós* (συφεός: "chiqueiro") mais *gérōn* (γέρων: "ancião"), ou de *sofós* (σοφός: "especialista") e *gérōn* (γέρων: "ancião").

27. Do grego *tranḗs* (τρανής: "distinto") mais *borós* (βορός: "glutão").

quando existem, extremamente pequenas. Os traníboros sempre mandam vir ao senado dois sifograntos diferentes a cada dia, e há também outro cuidado: não se deve decidir sobre qualquer coisa que seja discutida e diga respeito à comunidade antes que se pondere durante três dias no senado. Além disso, é considerado crime capital tomar decisões sobre os interesses comuns fora do senado ou das assembleias públicas. Essas coisas foram instituídas, eles dizem, para que não fosse fácil mudar o estatuto do governo a uma conspiração do príncipe ou dos traníboros, tendo o povo sido oprimido por meio de alguma tirania. Então, o que quer que seja julgado de grande importância é levado para a assembleia dos sifograntos, que, com suas famílias, após deliberarem entre si sobre o assunto comunicado, anunciam ao senado o seu conselho. Às vezes, o assunto é levado para um consílio formado por toda a ilha.

Além do mais, o senado também tem este costume: nada que seja proposto pela primeira vez é discutido no mesmo dia da proposição, mas postergado para a próxima reunião para que ninguém fale sem pensar no momento em que algo, ainda confuso, venha à sua cabeça, nem pondere as coisas que sejam vantajosas para o interesse comum somente depois de defender as suas decisões. Há quem prefira causar danos ao bem-estar da comunidade a causá-los à sua opinião, para que não pareça, conforme um pudor perverso e enviesado, ter, no início, pensado de menos: para essa pessoa era necessário ter examinado melhor a questão no início para que falasse mais com prudência do que com pressa.

Dos ofícios

Há uma única ocupação comum a todos, homens e mulheres: a agricultura, da qual ninguém está livre. Todos são nela instruídos desde a infância, um tanto na escola, onde são transmitidos os preceitos, e um tanto nos campos vizinhos às cidades, aonde são levados para entreterem-se e aprendem não somente observando, mas também pela ocasião de exercitarem os corpos manejando as ferramentas.

Além da agricultura, que é, como eu disse, comum a todos, cada um é instruído em um ofício determinado: geralmente, no trabalho com a lã ou o linho, ou na arte da alvenaria, da carpintaria, da ferrajaria ou do madeiramento. Não há, pois, nenhum outro ofício em que o número de trabalhadores ocupados seja digno de ser mencionado. As roupas, por exemplo – cujo modelo, exceto naquilo em que, por costume, diferenciam-se os sexos ou os solteiros dos casados, é o mesmo em toda a ilha e por toda a duração da vida, em nada impróprio ao olhar ou às possibilidades de movimento do corpo e apropriado, pois, tanto ao frio quanto ao calor –, elas, eu dizia, são confeccionadas pelas próprias famílias.

Mas cada um deles aprende alguma das outras artes, e não somente os homens, mas as mulheres também. Estas, é certo, como são mais frágeis, trabalham com as coisas mais leves: geralmente manipulam a lã e o linho. Aos homens são confiadas as artes restantes, mais laboriosas. A maior parte é educada nos ofícios dos pais, já que a isso são levados pela natureza. Contudo, se o ânimo move alguém para outra arte, então essa pessoa é transferida, por adoção, a uma família cujo ofício seja escolhido para o estudo – que ela seja entregue a um pai de família direito e honesto é, pois, um cuidado que diz respeito não somente ao pai, mas também aos magistrados. Se acaso alguém muito instruído em uma arte desejar, além dessa, uma outra, a mesma permissão lhe é concedida. Designado para cada um dos ofícios, poderá exercer o que preferir, exceto se a cidade necessitar mais do outro.

O principal e praticamente único trabalho dos sifograntos é cuidar e vigiar para que ninguém permaneça ocioso, mas que se dedique cuidadosamente à qual seja a sua arte; também cuidam para que não se cansem desde muito cedo até noite avançada em um labor perpétuo como se fossem mulas. Esse sofrimento, muito maior do que de um escravo e que ainda é, geralmente, a vida do trabalhador em alguns lugares, não está presente entre os utopienses. Como eles dividem o dia e a noite em vinte e quatro horas iguais, não dedicam mais de seis delas ao trabalho: três antes do meio-dia, depois das quais vão almoçar; após o almoço, já no período da tarde, descansam por duas horas e, em seguida, são novamente dedicadas três horas ao trabalho, que encerram com o jantar. Já que consideram como primeira a hora após o meio-dia, deitam-se à oitava. O sono reivindica oito horas.

Todo o tempo que esteja entre as horas dedicadas ao trabalho, ao sono e à alimentação é concedido ao arbítrio de cada um, mas não para que seja gasto pela moleza e pela preguiça, mas para que seja bem aplicado em alguma outra ocupação de acordo com seu ânimo. A grande maioria das pessoas despende esses intervalos com as letras. Na verdade, é habitual que sejam conduzidas leituras públicas cotidianamente antes do amanhecer, nas quais são obrigados a estar presentes apenas aqueles que foram nomeadamente selecionados para as letras. Porém, homens e mulheres de todas as ocupações comparecem a essas leituras, uns para ouvirem umas, outros para outras, conforme a natureza conduz cada um. Além disso, se alguém prefere aplicar esse mesmo tempo em sua arte, o que costuma acontecer com muitos - dos quais o ânimo em nada se eleva para a contemplação do ensino -, eles não são proibidos; na verdade, são, por outro lado, celebrados como pessoas vantajosas para o bem comum.

Após o jantar, dedicam uma hora à recriação: no verão, vão para o jardim; no inverno, para os salões comuns em que tomam suas refeições. Nesses lugares, ou se exercitam na música ou se deleitam na conversação. Jogos de dados e esses jogos estúpidos e perniciosos eles certamente não conhecem, mas possuem dois jogos não muito diferentes do xadrez: um, uma luta de números em que um número caça outro; o outro, uma batalha de discussões em que os vícios combatem com as virtudes. Nesse último, são mostradas com extrema engenhosidade tanto as contendas dos vícios entre si quanto sua união para oporem-se às virtudes. Além disso, é possível ver quais vícios se opõem a quais virtudes, com que força eles atacam abertamente, por quais artimanhas assaltam obliquamente, com que tipo de ajuda as virtudes derrubam as forças dos vícios, por quais artifícios elas frustram seus esforços e, por fim, por que meios uma ou outra parte toma posse da vitória.

Porém, para que não vos enganeis sobre isso, é necessário considerar essa questão de um modo mais preciso. Na verdade, porque não dedicam mais do que seis horas ao trabalho, talvez tu possas pensar que a necessidade de proventos se seguiria a uma grande escassez. Isso está tão distante de acontecer que, com esse tempo, a quantidade de todas as provisões de vida que são requeridas ou pela necessidade ou pela comodidade não somente é satisfeita como também superabunda, o que vós certamente entenderíeis se calculásseis aí convosco quão grande é a parte do povo em outras nações que permanece inerte. As mulheres, por exemplo, que do todo são a metade: se em algum lugar as mulheres estão trabalhando, aí mesmo, ao contrário delas, muitos dos homens estão roncando. E esses que se consideram sacerdotes e religiosos, quão tamanha e ociosa turba! Acresce todos os homens ricos, especialmente os donos de terras que são chamados, pelo povo, de nobres e ilustres. Soma a eles as suas guardas de fâmulos, sem dúvidas uma reunião de patifes armados de cetras! Por fim, acrescenta os robustos e valentes mendigos, que pretextam alguma doença para a sua inação. Certamente, são muito poucos os jovens que pensavas dedicados ao trabalho em todas as coisas necessárias aos mortais.

Julga agora contigo quantos desses poucos trabalhadores se envolvem com aquelas atividades realmente necessárias, visto que, quando medimos todas as coisas com o dinheiro, é necessário que cuides serem cultivadas muitas artes completamente inanes ou supérfluas, só para o luxo e a volúpia. Se essa multidão que agora trabalha fosse distribuída em tão poucas artes quanto as poucas que postula o uso conveniente da natureza, a abundância das coisas seria a tal ponto maior do que o quanto seria então necessário que o seu preço, sem dúvida, seria tão baixo que os trabalhadores não poderiam manter suas vidas. Por outro lado, se todas essas pessoas que agora estão se ocupando de artes inúteis – das quais qualquer um consome, do que é fornecido pelos labores alheios, duas vezes mais do que os próprios trabalhadores –, se elas fossem colocadas em trabalhos inteiramente voltados a todos e igualmente úteis, tu perceberias com facilidade em quão pouco tempo seriam satisfatoriamente fornecidas, com abundância e até mais que isso, todas aquelas coisas que, ou por necessidade ou por comodidade, a razão requer – acresce ainda aquelas por volúpia, que certamente é algo verdadeiro e natural.

A própria experiência em Utopia torna claro esse exemplo: lá, em toda a cidade e na vizinhança, dificilmente são dispensadas de suas obrigações de ofício mais de quinhentas pessoas, dentre as quais homens e mulheres, cuja força e idade os qualifiquem para o trabalho. Os próprios sifograntos, ainda que as leis os libertem do labor, não se eximem dele, exemplo pelo qual certamente incentivam os outros ao trabalho. Com essa mesma imunidade, felicitam aqueles aos quais o povo, persuadido pela recomendação dos sacerdotes ou pelos votos secretos dos sifograntos, concede a dispensa perpétua para que aprendam completamente as letras. Se algum deles, porém, violar a expectativa concebida sobre si, é reintroduzido aos ofícios. Por outro lado, não é raro, por seu costume, que um artífice qualquer empregue nas letras suas horas de folga tão empenhadamente e avance com tanta diligência que seja removido de seu ofício e conduzido às aulas de literatura. Dessa ordem dos literatos, os delegados, sacerdotes e traníboros são eleitos, além do próprio príncipe, a quem chamavam barzano[28] em sua antiga língua e, na mais recente, ademo[29]. É fácil então estimar que, no geral, a multidão restante, uma vez que não permanece ociosa, nem ocupada em trabalhos inúteis, realiza em poucas horas uma boa quantidade de trabalhos.

Além do mais, acrescente-se a essas coisas que eu mencionei uma certa facilidade, pois eles precisam de menos esforços que os outros povos na maior parte dos ofícios necessários. Por exemplo,

---

28. A palavra *barzanes*, utilizada por Morus, provavelmente vem do hebraico *bar*, "filho", mais uma forma genitiva dórica de Zeus, *Zanós* (Ζανός: "de Zeus").

29. *Ademus*, formado pela negação α mais *dēmos* (δῆμος, "povo").

a construção ou a reforma de casas requerem, em outros lugares, o trabalho bastante assíduo de muitas pessoas, pois aquilo que um pai construiu, o herdeiro, pouco sensato, permite perecer aos poucos; assim, o que se pode manter com o mínimo, o seu sucessor é forçado a restaurar por inteiro com um grande custo. Frequentemente, ainda, a casa que alguém erigiu por um enorme preço, um outro, por seu ânimo voluptuoso, despreza; então, estando essa casa ignorada e logo em ruínas, uma outra é erguida em outro lugar por um custo em nada menor. Junto aos utopienses, porém, onde todas as questões são reguladas e o interesse comum instituído, rarissimamente acontece de uma nova área ser escolhida para que seja construída uma casa, pois não somente os defeitos já presentes são remediados rapidamente, como também são prevenidos os iminentes. Assim, faz-se com que os edifícios perdurem por um tempo longuíssimo com um mínimo labor, e então os trabalhadores desse ofício, nesse ínterim, dificilmente têm algo para fazer, exceto porque os mandam aplainar as madeiras para as casas, bem como esquadriar e preparar as pedras, de modo que mais rapidamente eles possam entrar em ação se alguma obra aparecer.

Repara agora quão pouco trabalho requerem nas vestimentas. Primeiro porque se cobrem despretensiosamente com couros e peles durante o trabalho, vestes essas que duram por sete anos. Em seguida porque, quando saem em público, põem por cima das roupas uma clâmide que cobre essas roupas mais grosseiras; por toda a ilha, usam uma só cor, que também é natural. Assim, não somente se satisfazem com muito menos peças de lã do que qualquer outra pessoa em um outro lugar, como também é muito menor a sua despesa. Porque é menor o labor dispendido com o linho, sua presença é mais frequente em seu cotidiano, dele só considerando a candura, enquanto na lã, só a elegância; e nenhum é o valor da textura mais tênue. Dessa forma, enquanto em outros lugares quatro ou cinco togas de lã de cores diversas e muitas túnicas de seda nunca são suficientes para qualquer homem - aos mais luxuosos, na verdade, não menos que dez -, ali, para qualquer um, uma única é o suficiente, e por dois anos completos. Como se pode ver, não há nenhum motivo para que desejem mais peças, com as quais, obtidas, nem estariam mais protegidos contra o frio, nem pareceriam, pela vestimenta ou pela importância, mais ornamentados.

Por isso, quando todos se exercitam em artes úteis e se satisfazem com tão pouco trabalho próprio, produz-se, sem dúvidas, uma quantidade abundante de todas as coisas, e assim eles empregam uma imensa multidão para que sejam reparadas as vias públicas, se essas estiverem gastas. Muitíssimas vezes, ainda, quando nem essa ocupação se apresenta a eles, algumas poucas horas são anunciadas para os trabalhos públicos. Os magistrados, porém, não agitam os cidadãos relutantes ao labor sobressalente, pois que a instituição de sua república leva em consideração especialmente um único objetivo: até onde seja permitido pelas necessidades públicas, aos cidadãos em geral é atribuído que, em vez da escravidão do corpo, empreguem o quanto mais de seu tempo na liberdade e na cultura do espírito. Nisso, pois, acreditam estar presente a felicidade da vida.

Das relações sociais

Mas agora me parece que deve ser explicado por qual pacto os cidadãos se relacionam entre si, por qual mantêm relações comerciais com outros povos e qual a maneira de distribuição das coisas.

Pois bem: uma cidade é, pois, constituída de famílias, e as famílias, no mais dos casos, por relações de consanguinidade. As mulheres, dadas em casamento quando amadurecem, mudam-se para os domicílios de seus próprios maridos, mas os filhos homens e, sucessivamente, seus herdeiros permanecem na família. Submetem-se, pois, ao mais velho dos parentes, a não ser que, por causa da senilidade, este tenha pouca saúde mental; nesse caso, então, basta aquele mais próximo em idade. Para que a cidade nem seja pouco numerosa, nem muito abundante, é estabelecido que nenhuma família, das quais cada cidade abrange seis mil, excetuado o campo, tenha menos que dez ou mais que dezesseis adultos. Contudo, nenhum limite de impúberes pode ser estabelecido. Essa medida é facilmente atendida ao serem transferidos para as menores famílias aqueles que, nas maiores, excrescem. Se, porém, alguma cidade excede o seu todo para além do justo, deve reparar a insuficiência das outras cidades com os seus. E se por acaso a quantidade de pessoas aumentar por toda a ilha, então são divididos os cidadãos de quaisquer que sejam as cidades e, no continente próximo, em qualquer lugar onde em muito excedam aos nativos os campos vacantes de cultivo, uma colônia é estabelecida para que aqueles cidadãos vivam nela de acordo com suas próprias leis, uma terra em que são aceitos os nativos que quiserem viver ali com eles. Conforme as suas instituições, fazem com que aquela terra seja abundante para ambos os povos, mesmo que antes tenha sido considerada escassa e improdutiva pelos outros. Enviam os que se recusam a viver sob suas leis para além de suas fronteiras, as quais eles próprios traçaram; contra os resistentes, deflagram guerra, pois creem haver uma causa justíssima para a guerra quando um povo qualquer impede o cultivo e a posse de um solo, o qual eles próprios não utilizam e conservam abandonado como se fosse ocioso, por outras pessoas que, por preceitos da natureza, estariam destinadas a nutrirem-se dele.

Se alguma vez, em qualquer momento, o acaso diminuísse qualquer uma das suas cidades a um ponto que não pudesse ser restaurado por nenhuma outra cidade de qualquer parte da ilha - o que, eles contam, aconteceu somente duas vezes em toda a sua história, quando uma peste feroz assolou as cidades -, então ela seria novamente preenchida pelos cidadãos remigrantes dessas colônias. É melhor que pereça uma colônia do que qualquer uma das cidades da ilha diminua.

Mas vou retornar às relações entre os cidadãos. O mais velho da família, como eu disse, está no comando. As esposas servem aos maridos, os filhos aos pais e, de um modo geral, os mais novos aos mais velhos. Todas as cidades são divididas em quatro partes iguais. No centro de cada uma dessas partes existe um mercado de todos os tipos de coisas. As produções de cada família são levadas para determinadas construções nesses lugares, e suas espécies são distribuídas separadamente em armazéns individuais. Nesses armazéns, qualquer pai de família pode solicitar aquilo que ele próprio e os seus considerem necessário e, sem dinheiro e sem absolutamente nenhuma compensação, recebe o que quer que tenha solicitado. Por que qualquer produto ser-lhe-ia negado quando existe uma abundância satisfatória de todas as coisas e não resta qualquer temor, nem qualquer pessoa deseja reclamar mais do que o necessário? Por que acreditar que alguém vai solicitar mais do que o necessário se essa pessoa tem por certo que nunca haverá escassez de nada?

Seguramente, o temor da carência provoca, em todos os gêneros de animais, a avidez e a predação; no caso do homem, torna-o assim, sozinha, a soberba, pela qual é levado à glória de prevalecer sobre os outros pela ostentação de coisas em excesso – um tipo de vício que, nas instituições dos utopienses, não tem absolutamente nenhum lugar.

Junto ao mercado ao qual me referi estão os mercados de comida, para os quais não são levados somente vegetais, frutas e pães, mas também peixes e todo tipo de cortes de quadrúpedes e aves. Fora da cidade, estão situados os lugares onde o sangue e a sujeira dos animais são lavados em água corrente. Para lá, as reses mortas são transportadas e limpas pelas mãos dos fâmulos, pois os utopienses não permitem que os seus cidadãos acostumem-se com a carneação dos animais, cuja prática, eles pensam, pode paulatinamente acabar com a clemência, o afeto mais humano da nossa natureza. Também não permitem que seja levada para a cidade qualquer coisa sórdida ou imunda para que o ar, por sua podridão corrompido, não transmita doenças.

Cada vila tem, além disso, certos salões espaçosos, distantes um do outro por intervalos iguais, conhecidos cada um por seu nome, onde vivem os sifograntos. Para cada um desses salões, trinta famílias, quinze em cada um dos lados, é claro, são destinadas para que lá façam suas refeições. Os despenseiros de cada salão dirigem-se ao mercado em uma hora determinada e solicitam comida para o número apresentado de seus convivas.

Em primeiro lugar, consideram as refeições dos doentes, que são atendidos em hospitais públicos. Existem quatro hospitais no entorno de cada cidade, um pouco além dos seus muros, tão espaçosos a ponto de poderem ser igualados a pequenas cidades, e de tal forma que um grande número de doentes pode ser acolhido em qualquer um deles sem que se apertem e, por isso, se incomodem. Além do mais, se alguém estiver contaminado por uma doença cujo contágio costuma dar-se pelo contato de uma pessoa com outra, ele pode ser isolado com bastante distância do convívio com as outras pessoas. Esses hospitais são a tal ponto preparados e bem-equipados com qualquer coisa que contribua com a saúde, os tratamentos empregados são tão gentis e atenciosos e é tão constante a presença de médicos doutíssimos que, como ninguém é enviado para lá contra a vontade, dificilmente há, em toda a cidade, alguém que, acometido por uma condição adversa, não prefira ser tratado lá a sê-lo em sua casa.

Assim que o despenseiro dos doentes recebe os alimentos prescritos pelos médicos, os melhores víveres são igualmente distribuídos entre os salões de acordo com o número de convivas em cada um e por ordem, a não ser as partes que dizem respeito ao príncipe, aos pontífices e aos traníboros, assim como aos delegados e a todos os estrangeiros, os quais, quando existem, são poucos e raros. Quando estes se fazem presentes, porém, preparam-lhes e equipam domicílios específicos. Advertidos pelo clangor de uma trombeta de bronze em uma hora certa para o almoço e em outra para o jantar, dirigem-se para os salões todos os sifograntos, exceto os que estão de cama em casa ou nos hospitais. Ainda que ninguém seja proibido de solicitar alimentos para sua casa no mercado depois de satisfeitos os salões – eles sabem, pois, que ninguém o faria sem razão –, e embora não seja vetado a ninguém o direito de fazer suas refeições em casa, pessoa alguma o faz de bom grado, pois não é considerado honesto; além do mais, seria estupidez encarregar-se do trabalho de preparar uma refeição pior quando uma farta e esplêndida já está pronta nos salões tão próximos.

Nesses salões, os escravos executam todos os serviços um pouco mais sórdidos ou laboriosos. Além disso, somente as mulheres realizam o trabalho de preparar e cozinhar os alimentos, bem como todos aqueles relacionados à disposição do banquete – cada família em sua vez, é claro. As pessoas tomam seus lugares, dependendo do número de convivas, em três ou mais mesas. Os homens se colocam de costas para a parede, as mulheres, no lado oposto; assim, caso alguma delas seja acometida por um mal súbito, o que às vezes costuma acontecer quando estão grávidas, pode sair da mesa sem perturbar ninguém e, então, dirigir-se até as amas.

Estas sentam-se separadamente, junto com as crianças de colo, em um cenáculo destinado para este fim, onde sempre estão presentes o fogo, a água limpa e os berços, de modo que elas possam deitar os bebês e, junto ao fogo, quando quiserem, libertá-los de seus cueiros e, livres, restaurá-los às brincadeiras. Cada rebento é nutrido por sua própria mãe, exceto quando a morte ou a moléstia a impeçam. Quando isso acontece, as esposas dos sifograntos rapidamente buscam uma ama. As amas não são difíceis de serem encontradas: aquelas que podem desempenhar esse papel não se oferecem mais felizes a nenhum outro ofício, pois todos recompensam esse ato de misericórdia com elogios, e aqueles que são por elas criados as reconhecem como mães.

No antro das amas, sentam-se todas as crianças que ainda não completaram o primeiro lustro. Os outros impúberes, de ambos os sexos, que ainda não chegaram à idade do casamento servem aos que estão na mesa; os que não são capazes de fazê-lo por conta da idade esperam parados e em completo silêncio. Ambos os grupos, dos que servem e dos que esperam, alimentam-se com aquilo que é oferecido pelos que estão sentados e não dispõem de outro momento para que façam suas refeições.

No centro da primeira mesa, o sumo lugar a partir do qual todo o conjunto é contemplado, pois a mesa está transversalmente situada na parte mais elevada do cenáculo, senta-se o sifogranto com sua esposa. A eles juntam-se dois dos mais velhos – sentam-se, pois, em quatro pessoas por todas as mesas. Porém, se há uma igreja nessa sifogranta, o sacerdote e sua esposa sentam-se com o sifogranto como se presidissem. De ambos os seus lados, dispõem-se os jovens, depois deles novamente os idosos e assim por diante por todo o salão; os de mesma idade se unem, e misturam-se entre eles os de idades diferentes porque, conforme dizem, dessa maneira, instituída a gravidade e a reverência aos mais velhos, coíbem aos jovens aquela ímproba liberdade de palavras e gestos, visto que nada pode ser feito ou dito na mesa que escape aos vizinhos de ambos os lados.

As bandejas de comida não são servidas a partir do primeiro lugar e, depois, para toda a mesa: primeiro, as melhores comidas são levadas para os idosos, cujos lugares são insignes, e, então, igualmente ministradas aos restantes. Os idosos repartem suas guloseimas, cuja quantidade não é tão grande a ponto de serem satisfatoriamente distribuídas por todo o salão, com os circundantes, e o fazem de acordo com a sua vontade. Assim, tanto mantém-se o respeito pelos de mais idade, como a todos é proporcionada a mesma comodidade.

Cada almoço e cada janta começam por uma leitura de tema moral – breve, porém, para que não cause tédio. A partir dela, os idosos introduzem discussões respeitosas, nunca tristes ou grosseiras. Não ocupam toda a refeição com falas fastidiosas, uma vez que também ouvem, de bom grado, os jovens; na verdade, os provocam de acordo com uma busca pela qual conduzem, por causa da liberdade dos banquetes, uma experimentação de sua índole e de seu engenho.

Os almoços são muito breves, e os jantares, mais longos, visto que àqueles sucede o trabalho, e a esses, o sono e a quietude noturna, a qual consideram mais eficaz para uma digestão saudável do que o esforço. Nenhum jantar transcorre sem música, nem há prato principal que careça de alguma sobremesa. Queimam incensos, espargem perfumes e não deixam de fazer algo que possa divertir os convivas. São muito inclinados ao divertimento, de modo que não proíbem nenhuma espécie de prazer, desde que dele não resulte nada incômodo.

Essa é a forma pela qual convivem nas cidades. Nos campos, por sua vez, onde estão separados por longas distâncias, todos comem em suas próprias casas, mas nenhuma família tem falta de qualquer que seja a provisão, porquanto tudo aquilo de que se alimentam nas cidades vem do campo.

Das viagens dos utopienses

Aqueles que têm o desejo de visitar algum amigo em outra cidade ou mesmo de viver em outro lugar obtêm facilmente a permissão para isso com seus sifograntos e traníboros, exceto se alguma necessidade os impedir. Um certo número de viajantes é liberado simultaneamente por uma carta do príncipe que tanto atesta a data permitida para a viagem como prescreve o dia para o retorno. Concedem-lhes um veículo e um funcionário público que conduz os bois e deles cuida. Contudo, a menos que existam mulheres no grupo, o veículo é dispensado como se fosse um ônus, um estorvo. Não levam nada consigo por todo o caminho, e nada lhes faz falta, pois em qualquer lugar estão em casa. Se demoram mais de um dia em um lugar, cada um trabalha conforme o seu ofício e são muito civilizadamente tratados pelos trabalhadores de cada uma das artes.

Se alguém que vagueia para além dos seus limites por sua própria conta é descoberto sem a recomendação do príncipe, o que é considerado uma injúria, é então reconduzido como fugitivo e severamente castigado. Se ousar o mesmo uma segunda vez, é punido com a escravidão. Se a vontade de andar pelos campos de sua cidade assalta alguém, nada o proíbe, desde que tenha a permissão de seu pai ou o consentimento da esposa. Em qualquer propriedade rural a que chegue, porém, nenhum alimento lhe será dado antes que complete a cota de trabalho, antes do meio-dia ou o quanto ali se costuma laborar antes do jantar. Por essa lei, é permitido que qualquer pessoa ande dentro dos limites de sua cidade. Dessa forma, na verdade, uma pessoa não será menos útil à sua cidade do que se estivesse nela.

Já vedes, então, que não existe nenhuma liberdade para o ócio, nenhum pretexto para a inércia, nenhuma taberna de vinho ou cervejaria, nenhum lupanar, nenhuma ocasião para a devassidão, nenhum esconderijo ou qualquer conciliábulo, mas sim, presente aos olhos de todos, a necessidade de acostumar-se ao trabalho e de não cair em ócio desonesto. É então inevitável que a esse costume do povo se siga a abundância de todas as coisas. Assim, e visto que isso vale da mesma forma para todos, com certeza ninguém pode torna-se miserável ou mendigo.

No senado de Amaurota, o qual, como eu disse, frequentam anualmente três cidadãos de cada cidade, primeiro é estabelecido quais coisas abundam em quais lugares e, depois, em quais são mais escassos os proventos; assim, a fartura de uma cidade supre a carência de outra. Fazem isso, pois, gratuitamente, visto que não esperam receber nada em troca das cidades para as quais doam. Por sua vez, aquelas que deram de suas coisas para qualquer que seja a cidade sem receber nada em troca recebem de outra cidade, à qual nada cederam, aquilo de que necessitam. Assim, toda a ilha é como se fosse uma única família.

Havendo provisões o suficiente para si próprios, o que não consideram feito antes que tenham o bastante para um biênio, já que não sabem como será o ano seguinte, levam para outros povos, e em grande quantidade, aquelas coisas que junto a eles sobejam – grãos, mel, lã, linho, madeira, corantes escarlate e púrpura, velos, cera, sebo e couro, além de animais. A sétima parte de tudo isso é doada aos pobres dessas regiões, e o restante é vendido por um preço módico. Por causa desse comércio, não voltam para a pátria somente com as mercadorias das quais precisam em casa, o que, na verdade, não seria nada mais do que o ferro, mas também com grande quantidade de prata e ouro. Acostumados por muito tempo com esse tipo de negócio, acumularam uma quantidade desses bens acima do quanto é possível crer em qualquer lugar do mundo. Por conseguinte, agora pesam muito pouco se o que vendem será pago no momento da venda ou em outro dia, e grande parte do pagamento é feita por promissórias, as quais, no entanto, nunca são feitas em nome de particulares, mas observando a fé pública da cidade por meio de documentos estabelecidos conforme os costumes. Quando chega o dia do pagamento, a cidade exige o crédito de seus cidadãos devedores e o redireciona para o seu tesouro, dele usufruindo até que seja reclamado pelos utopienses. Na maior parte das vezes, porém, eles nunca o reclamam, pois consideram que não é justo trazer para casa aquilo que, entre eles, não tem nenhum uso, enquanto que para os outros seja algo usual. No caso contrário, se um assunto qualquer exigir que essa sua parte seja emprestada para outro povo, então finalmente a reclamam, ou ainda quando estão se preparando para a guerra. O único momento em que mantêm em casa todo o tesouro que possuem é para a proteção em caso de extremo perigo ou em alguma necessidade repentina; com ele, principalmente, contratam soldados estrangeiros por um preço excessivo, os quais se oferecem à crise mais contentes do que os seus cidadãos, pois os utopienses sabem que, por uma grande quantia de dinheiro, até mesmo os soldados inimigos geralmente se vendem e lutam contra os seus – seja à traição, seja não auspiciosamente às claras.

Assim, mantêm um inestimável tesouro; não o guardam, porém, como um tesouro, mas sim de um modo que a vergonha me dissuade de contar, pois temo que não seja dada fé à minha história, o que eu certamente receio muito justamente, porquanto sou consciente de que, exceto por tê-lo visto presencialmente, dificilmente eu mesmo acreditaria se essa história me fosse contada por outra pessoa. Em geral, é de fato inevitável que, o quanto qualquer coisa esteja distante daqueles que ouvem sobre algum costume alheio, à mesma distância esteja a fé. Contudo, talvez um avaliador prudente se admire menos se o seu uso da prata e do ouro acomodar-se mais às suas razões do que aos nossos costumes, uma vez que suas outras instituições diferem tanto das nossas. É certo que eles não usam dinheiro entre si, mas o conservam para que possa ser usado em alguma necessidade, o que pode ou não acontecer. Enquanto isso, mantêm consigo o ouro e a prata, com os quais é feito o dinheiro, para que não sejam nem um pouco mais valorizados do que o quanto merece a sua própria natureza: acaso alguém não vê o quão inferiores são ao ferro, sem o qual indubitavelmente os mortais não seriam mais capazes de viver do que sem o fogo e a água? Durante esse tempo, nenhum uso foi atribuído ao ouro e à prata do qual facilmente não prescindíssemos, exceto porque a estupidez dos homens o valorizou com o preço da raridade, como se, pelo contrário, a indulgentíssima mãe não tivesse disposto a céu aberto as melhores coisas, como o ar, a água e a própria terra, e escondido as coisas vãs e sem serventia a grande distância.

Além disso, se esses metais fossem escondidos em alguma torre entre eles, para a estúpida sagacidade do vulgo, o príncipe e o senado certamente se tornariam suspeitos de estar aproveitando o ouro e a prata. Se, de outra maneira, eles engenhosamente confeccionassem copos ou quaisquer outros tipos de objetos forjados com esses metais e, em algum momento, surgisse a necessidade de que eles fossem refundidos e empregados em despesas militares, sem dúvida aqueles que já tivessem começado a tê-los em alta conta dificilmente permitiriam que fossem levados. Sendo assim, para evitar que isso acontecesse, os utopienses desenvolveram um método específico conforme a todos os seus costumes e, por isso, bastante estranho a nós, que tão diligentemente preservamos o quanto exista de ouro, e muitíssimo contraditório e inacreditável, exceto aos mais espertos.

Enquanto comem e bebem em vasos feitos de barro e de vidro, elegantíssimos, de fato, mas vulgares, eles confeccionam penicos e aqueles vasos sordidíssimos com o ouro e a prata, e não somente para os salões comunitários, como também para as suas casas. As grossas correntes e as algemas com as quais prendem os escravos também são trabalhadas com esses metais. Por fim, aqueles aos quais qualquer crime tenha tornado infames trazem anéis de ouro pendendo de suas orelhas, têm seus dedos cingidos pelo ouro e o colo circundado por colares, e sua cabeça também é enlaçada pelo ouro. Com isso, cuidam de todos os modos para que, entre eles, o ouro e a prata estejam associados à desonra, fazendo com que, se em algum momento for postulado que esses metais devam ser entregues, os quais outras pessoas não permitiriam ser levados com menos dor do que se fossem suas próprias vísceras, entre eles ninguém tome essa obrigação como um sacrifício, nem acredite estar perdendo uma única moeda sequer.

Ademais, recolhem pérolas no litoral e diamantes e granadas em certas montanhas; contudo, não buscam por elas, mas dão bastante polimento às que aparecem por acaso. Com elas, enfeitam as crianças que se envaidecem e se assoberbam com tais ornamentos nos primeiros anos da infância; quando sua idade aumenta um pouco, porém, e percebem que somente os imaturos usam essas futilidades desse modo, as abandonam por seu próprio pudor sem qualquer ordem de seus pais – não acontece de outro modo com nossas crianças quando crescem e largam brinquedos, bolas e bonecas.

E nunca foi mais claro para mim que costumes tão diversos de outros povos produzem estados de espírito também bastante diversos do que em uma ocasião que envolveu certos delegados

dos anemolianos[30]. Estes vieram para Amaurota enquanto eu estava lá, mas, porque foram para tratar de assuntos bastante importantes, três cidadãos de cada cidade já haviam chegado antes deles. Todos os delegados dos povos fronteiriços, porém, por terem aportado antes, já se tinham acostumado a vestir-se com um estilo tão mais modesto quanto podiam, pois eram-lhes conhecidos os costumes dos utopienses, entre os quais compreendiam não haver nenhuma honra em vestimentas suntuosas e sabiam ser infame o ouro e desprezada a seda. Mas os anemolianos, porque moravam longe e mantinham poucas relações comerciais com os utopienses, tinham apenas ouvido que todos eles vestiam-se com uma mesma e grosseira roupa. Convencidos, então, de que não usavam outras porque não as tinham, decidiram, mais soberbos do que sábios, se apresentar trajados com elegância divina e ferir os olhos dos miseráveis utopienses com todo o esplendor de seus ornamentos.

E assim chegaram os três delegados com cem acompanhantes, todos vestidos com cores variadas e cobertos de seda; os próprios delegados – porque eram, em casa, nobres – repletos de ouro, com grandes colares e brincos áureos, nas mãos áureos anéis, pesadas correntes que refulgiam gemas e pérolas no píleo, enfim, com todos os ornamentos que, junto aos utopienses, eram utilizados como castigo para os escravos, desonra para os infames ou que eram, ainda, frivolidades infantis. E, assim, era negócio de apreço ver de que modo eles erguiam suas cristas quando comparavam os seus ornamentos às ves-

30. A palavra utilizada por More, *anemolis*, vem do grego *anemōlios* (ἀνεμώλιος, "ventoso"), com o sentido de "arrogante, vaidoso, fútil."

timentas dos utopienses – o povo saíra à rua para assisti-los por decisão própria. Por outro lado, não era menor o prazer em considerar por quão longe sua esperança e sua expectativa foram desapontadas, e o quão longe estavam daquela opinião sobre si próprios que acreditavam estar conseguindo. Na verdade, aos olhos de todos os utopienses, exceto daqueles extremamente poucos que, por alguma causa conveniente, visitavam pessoas em outras cidades, todo aquele esplendor pareceu vergonhoso, além de que, cada um dos mais ínfimos foram reverentemente saudados como senhores, enquanto os delegados mesmos, porque usavam correntes de ouro, foram vistos como escravos e passaram sem absolutamente qualquer honra. Tu devias ter visto ainda as crianças que, reparando nas gemas e pérolas fixadas nos píleos dos delegados, as quais haviam abandonado há pouco, dirigiam-se às suas mães e as puxavam para o lado: "Olha, mãe, que grandes bobalhões usando gemas e pérolas como se fossem menininhos!" E as mães que, a sério, respondiam: "Quieto, filho: eu acho que deve ser algum tipo de bufão dos delegados".

Outros criticavam as correntes de ouro, que não deveriam ter serventia nenhuma, tão delicadas que um escravo facilmente as romperia, além de tão frouxas que qualquer um que quisesse poderia tirá-las se sacudindo e, então, escapar livre e solto para qualquer lugar.

Na verdade, depois que os delegados revolveram por lá um ou dois dias, viram que a maior quantia do ouro era empregada em grandes banalidades – correntes e algemas de um único escravo fugitivo reuniam mais ouro e prata do que o correspondente a todos os seus ornamentos – e que esses metais eram considerados com uma indignidade não menor do que a honra com a qual, junto a si, costumavam considerá-lo; ao perceberem tais coisas, então, abaixaram suas cristas e ocultaram, como motivo de vergonha, todo aquele traje com o qual tão arrogantemente haviam-se exposto, especialmente depois que, conversando de um modo mais familiar com os utopienses, compreenderam seus costumes e opiniões.

Na verdade, aos utopienses espanta que o brilho incerto de uma gema exígua ou de uma joia pequena deleite algum mortal, a quem, com certeza, é permitido contemplar qualquer estrela e, por fim, até mesmo o Sol; também que alguém seja tão louco a ponto de considerar a si próprio mais nobre por causa de um fio de lã mais delicado, muito embora essa mesma lã, e não importa o quão delicado seja o fio, seja usada por uma ovelha e, nesse tempo, ela nunca seja outra coisa que não uma ovelha. Espanta-os ainda que o ouro, por sua própria natureza tão inútil, agora e em qualquer lugar seja a tal ponto estimado pelos povos que o próprio homem, justamente quem administrou o seu valor para o uso próprio, seja muito menos valorizado do que o ouro, de tal modo que um grosseirão qualquer, cuja inteligência não seja maior do que a de um poste e nem seja menos ímprobo do que estúpido, tenha a seu serviço muitos homens bons e sábios única e exclusivamente porque possui uma grande quantia de moedas de ouro; alguém que passe de mestre ao mais humilíssimo patife de todos os seus criados pelo acaso ou por algum artifício da lei, que não transforma os mais elevados nos mais vis menos do que o acaso, e não muito depois se transforme em um escravo de seu escravo como se fosse um aditamento, um apêndice de suas moedas. Na verdade, muito mais execram-na e se espantam com a paixão violenta daqueles que dedicam honrarias quase divinas a ricos a quem não devem absolutamente nada, nem estão sujeitados, e por nenhuma outra razão que não a de serem eles ricos, mesmo sabendo que esses homens são, com relação a eles, a tal ponto sórdidos e avaros que têm por certo o fato de que, de tamanho acúmulo de moedas, nada virá para que vivam, nem uma única moedinha sequer.

Tal forma de pensar, bem como outras parecidas, eles receberam em parte de sua criação, na qual os educou uma república cujas instituições estão muito distantes desse tipo de estupidez, e em parte do estudo e das letras. Ainda que não existam muitas pessoas que sejam exoneradas de outros labores para lançarem-se somente à educação em cada uma das cidades – elas são, é claro, aquelas em que desde a infância a egrégia índole, o exímio engenho e o ânimo se mostram propensos às belas artes –, ainda assim todas as crianças são instruídas nas letras, e boa parte do povo, tanto homens como mulheres, durante toda sua vida empregam nas letras aquelas horas que já mencionamos livres de obrigações.

Aprendem as disciplinas em sua própria língua, que não é nem carente de palavras, nem desagradável ao ouvido, e nenhuma outra é intérprete mais fiel do espírito. Essa mesma língua, exceto porque está mais corrompida em alguns lugares da ilha do que em outros, é comum à maior parte do seu território.

Antes do nosso desembarque por lá, a fama de nenhum daqueles filósofos cujos nomes são célebres neste mundo nosso conhecido sequer chegou até eles. Todavia, na música, na dialética e na ciência de numerar e medir eles descobriram, em geral, as mesmas coisas que os nossos antigos. Embora os igualem em quase tudo, porém, ainda assim são bastante desiguais com relação às descobertas dos nossos mais recentes lógicos, pois não descobriram nenhuma daquelas regras engenhosamente pensadas sobre restrições, amplificações e suposições, as quais as crianças aprendem aqui e ali como Lógica Menor[31]. Além disso, estão tão distantes de serem suficientes para investigar *extensões segundas* que nenhum dentre eles é capaz de ver nem mesmo o *homem em geral*, conforme é chamado, ainda que ele fosse por nós apontado com o dedo – e embora, como o sabeis, ele seja claramente um colosso, talvez maior que um gigante[32]. São, contudo, peritíssimos no curso dos astros e no movimento dos corpos celestes. Na verdade, construíram habilmente instrumentos de formas variadas com os quais conseguem compreender de maneira exata o movimento e a posição do Sol, da Lua e também de todos os outros astros que podem ser vistos no seu horizonte, muito embora certamente nem sonhem com aquelas associações e discordâncias entre os astros errantes e nem com toda aquela impostura da divinação pelos astros. Pressentem, pois, por um longo costume de observar determinados sinais, chuvas, ventos e outras vicissitudes de tempestades. Sobre as causas de todas as coisas, sobre o fluxo das marés e sobre a sua salinidade ou, em suma, sobre a natureza e a origem do céu e do mundo, uma parte diz o mesmo que disseram os nossos velhos filósofos, enquanto outra discorda entre si; assim também, quando propõem

31. Refere-se, provavelmente, ao tratado conhecido pelo nome de *Parua Logicalia*, de Pedro Hispano (1215-1277 – o Papa João XXI), presente na sua *Summulae logicales* e aqui ironizado por Morus.

32. As extensões segundas são as concepções abstratas das coisas; o homem em geral, o homem como universal.

novas razões para as coisas, não se entendem uns com os outros e nem chegam a um acordo entre si em qualquer que seja a proposição.

Naquela parte da filosofia em que se discute sobre a moral, eles debatem as mesmas coisas que nós. Investigam os bens do espírito, mas também os do corpo e os externos a ele, bem como se o nome "bem" convém a todas essas coisas ou somente aos dotes do espírito. Discutem também sobre o prazer e a virtude, mas a sua primeira e principal controvérsia diz respeito ao que pensam ser a felicidade do homem, se ela é uma única coisa ou várias. Nesse assunto, todos parecem ser igualmente mais propensos ao grupo que defende o prazer, definindo-o como o todo ou ao menos a principal parte da felicidade do homem. O que mais te espantarás, pois, é que buscam auxílio para uma questão assim tão delicada na sua religião, que é grave e severa e, em geral, austera e rígida. Nunca discutem a felicidade sem que unam os princípios trazidos da religião às racionalidades comuns da filosofia, visto que, para eles, sem sua ajuda, a razão por si só seria fraca e insuficiente para a investigação da verdadeira felicidade.

São estes os seus princípios religiosos: a alma é imortal e criada pela beneficência de Deus para a felicidade; os prêmios para as nossas virtudes e benfeitorias virão após a vida, e os suplícios serão destinados às vergonhas. Acreditam também que, embora sejam princípios religiosos, é por meio da razão que eles são conduzidos à compreensão e aceitação; sendo assim, se removidos de seu meio, e o proclamam sem nenhuma hesitação, ninguém seria tão estúpido a ponto de não considerar que o prazer deva ser buscado por fás ou por nefas. Dessa forma, as pessoas cuidariam somente para que os menores prazeres não atrapalhassem os maiores, ou para que aquele prazer ao qual a dor surgirá como resposta não fosse perseguido. Consideram ainda que seria ato de extrema loucura perseguir uma virtude difícil e austera sem os princípios religiosos, bem como afastar as doçuras da vida e, por uma vontade própria perpétua, fruir uma dor da qual não se espera nada, pois qual poderia ser o proveito de passar por isso se após a morte nada alcançasses, mesmo tendo atravessado toda uma vida pouco prazerosa e miserável?

Os utopienses, na verdade, acreditam que a felicidade não está em todos os prazeres, mas nos bons e honestos; para esses, pois, como fossem o bem supremo, nossa natureza é arrastada pela própria virtude, a quem, sozinha, outra facção atribui a felicidade.

Definem a virtude como o viver segundo a natureza, visto que fomos criados por Deus para esse fim. Na verdade, aquele que segue o caminho da natureza, ora aproximando-se de alguma coisa, ora afastando-se, obedece à razão. Além disso, primeiro de tudo, a razão inflama os mortais a amar e a reverenciar a divina majestade, a quem devemos tanto o que somos como o fato de podermos estar em posse da felicidade. Em segundo lugar, ela nos adverte e excita para que nós mesmos conduzamos a vida, o quanto for possível, com o mínimo de angústias e o máximo de alegrias, e também para que apresentemo-nos como ajudantes a todos os outros para que consigam o mesmo no que diz respeito à relação com a natureza. Nunca houve, pois, um seguidor da virtude tão austero e rígido e que odiasse o prazer que, por isso, te proclamasse labores, vigílias e aflições de modo que igualmente não te mandasse aliviar a pobreza e os incômodos alheios por tua própria dignidade, ou que não pensasse que um homem deveria ser elogiado por salvaguardar e consolar outro homem em nome da humanidade, uma vez que mitigar a moléstia dos outros e, extintas as tristezas, devolver os encantos da vida, os seus prazeres, é algo especialmente humano – e nenhuma outra virtude é mais própria do homem. Por que, então, a natureza não instigaria cada um a fazer o mesmo a si próprio? Pois, ou uma vida aprazível, isto é, prazerosa é algo ruim, de modo que não só tu não deves ajudar ninguém a tê-la, mas também deves afastá-la o mais possível de todos como se fosse nociva e mortal; ou, se não somente te é lícito como também é teu dever atrair outras pessoas para ela como se fosse algo bom, por que não conduzir primeiro a ti próprio, a quem não convém que sejas menos propício do que a outros? Quando a natureza te adverte para que sejas bom com os outros, ela não te ordena, em resposta, que sejas inclemente e feroz contigo mesmo. Os utopienses dizem, portanto, que a própria natureza prescreveu uma vida agradável, isto é, o prazer como o fim de todas as atividades, e definem a virtude como o viver a partir de uma tal prescrição. Mas como a natureza incita os mortais ao mútuo auxílio para uma vida mais alegre, ela certamente também te ordena a manter constantemente a atenção para que não sigas as tuas comodidades de um modo que provoque incômodos a outras pessoas, o que ela certamente faz com razão, pois não há ninguém tão acima do gênero humano de modo a ser, sozinho, a única preocupação da natureza, que favorece por igual a todos os que encerrou em uma mesma forma.

Devem ser preservados, então, é o que pensam, não somente os pactos estabelecidos entre privados, mas também as leis públicas que um bom príncipe tenha justamente promulgado a respeito da distribuição dos bens vitais, isto é, das substâncias de prazer, ou que o povo tenha sancionado em comum acordo e sem a opressão de um príncipe, nem a circunscrição de mentiras. Desobstruídas essas leis, é prudente cuidar dos teus interesses e piedoso cuidar do que é público. Arrebatar, porém, o prazer alheio enquanto persegues o teu, isso é, sem dúvida, uma injúria; por outro lado, privar-se de qualquer coisa para cedê-la a outra pessoa é, no fim das contas, um gesto de humanidade e benignidade, pois ninguém recebe tantas vantagens quando leva como quando dá. Essa pessoa é paga, pois, pela troca de benefícios, e a própria consciência do benfazer, assim como a recordação da caridade e as suas benevolências, com as quais beneficiaste outras pessoas, dão mais prazer ao espírito do que teria dado ao corpo aquilo de que abriste mão. Enfim, e a religião facilmente persuade o espírito a que aceite as coisas de bom grado, e Deus compensa a substituição dos prazeres breves e exíguos com uma alegria ingente e imperecível. Por essa forma, então, tendo sido cuidadosamente examinado e ponderado o assunto, os utopienses acreditam que todas as nossas ações e, dentre elas, as próprias virtudes, têm como fim o prazer e a felicidade.

Chamam de prazer cada movimento e estado do corpo ou do espírito em que o homem, comandado pela natureza, encontre o deleite, e não temem acrescer o desejo à natureza. Para que qualquer um descubra o que é agradável de acordo com a natureza – coisas para as quais não se tende pela injúria, que não impedem outros deleites e que não são sucedidas pelo labor – não se deve seguir somente os sentidos, mas também a correta razão. Assim, os utopienses consideram que todas aquelas coisas contrárias à natureza construídas pelos mortais como se fossem um deleite para si próprios por meio de uma combinação bastante falsa – como se fosse possível mudar, em seu ser e de um mesmo modo, as coisas e os nomes – em nada conduzem à felicidade e ainda impedem os maiores prazeres; além disso, tendo uma única vez incorrido nelas, ocupam absolutamente todo o ânimo com uma falsa ideia de prazer, de modo que não haverá qualquer lugar disponível para os verdadeiros e genuínos deleites. Há, aliás, muitas coisas que, embora nada contenham de atrativo em sua própria natureza, mas, pelo contrário, tenham de amargor a maior de suas partes, não são somente consideradas em nome dos prazeres extremos pela sedução perversa dos desejos ímprobos, mas enumeradas entre os principais motivos da vida.

Nesse gênero dos prazeres forjados, eles incluem aqueles que anteriormente eu mencionei, pelos quais os que possuem as melhores togas consideram a si próprios como melhores; assim, com uma única coisa, erram duas vezes: não estão menos errados por pensar que sua toga é melhor do que por pensar a si próprios assim. Por que, se tu levas em conta o uso de roupas, a lã de fio mais fino está à frente daquelas de fios mais espessos? Essas pessoas, porém, como se por sua própria natureza fossem indubitavelmente superiores, levantam a crista e, por essa razão, acreditam que nada pode ultrapassá-los em valor; a honra que não ousariam esperar se estivessem mais comumente vestidos, de togas mais elegantes a exigem como se fosse o seu direito, e indignam-se se um mais negligente os deixa de lado ao passarem.

Mas isso, por acaso, não é o mesmo tipo de ignorância que ser levado por honras vazias e em nada vantajosas? Pois, que tipo de prazer natural e verdadeiro provoca uma outra pessoa desnudar a cabeça diante de ti, ou curvar os joelhos? Acaso isso remediará as dores dos teus joelhos?

Ou amenizará as loucuras da tua cabeça? Nessa representação de prazeres postiços, é surpreendente como tão suavemente tornam-se loucos aqueles que bajulam a si próprios com certa ideia de nobreza e se aplaudem porque têm a sorte de terem nascido de ancestrais cujas riquezas são mantidas por uma longa linhagem, especialmente suas propriedades – e ainda hoje não é outro o indicativo de nobreza. E certamente não deixarão de considerar a si próprios menos nobres se acaso os ancestrais não tivessem deixado nada ou se eles mesmos tivessem gastado impensadamente a herança.

Também incluem nisso aquelas pessoas que, como eu já disse, são seduzidas por gemas e pequenas joias e que se consideram deuses se acaso obtêm algum espécime extraordinário, especialmente de um tipo que à sua época e entre os seus seja largamente estimado, uma vez que eles não têm o mesmo valor nem em todos os lugares, nem em todas as épocas. Não as compram, porém, sem que tenham sido subtraídas dos engastes de ouro ou que estejam sem ornamentos; além disso, só as levam mediante juramento do vendedor responsabilizando-se pela garantia de que gema e joia são verdadeiras, tão apreensivos são de que lhes coloquem diante dos olhos uma adulterina no lugar de uma verdadeira. Deve ser por ti considerado, contudo, o motivo de uma pedra artificial oferecer menos deleite, uma vez que os teus olhos não a diferenciam de uma verdadeira. Se assim for, tanto uma como a outra devem valer o mesmo para ti – e seguramente não menos do que valem a um cego!

E os que guardam os recursos supérfluos fazendo com que as reservas não sejam deleitadas por qualquer que seja o uso, mas somente pela contemplação? Acaso percebem esse prazer como verdadeiro ou será que preferem ser enganados por um falso prazer? E aqueles com um vício diverso por causa do qual nunca aproveitarão o ouro e, possivelmente, nunca mais o verão, que o escondem e, por causa de seu temor de perdê-lo, o perdem? Que outra coisa, pois, é subtraída de teu próprio proveito e possivelmente do de todos os mortais ao retornar à terra? E tu, escondido o tesouro, ainda exultas como se o espírito estivesse livre para a felicidade. E se alguém o roubasse e tu, ignorando o roubo, morresse depois de uns dez anos: durante todo esse decênio em que sobreviveste sem saber do roubo, qual a diferença para ti se o ouro tivesse ou não sido roubado? Certamente, em ambos os casos, a serventia foi-te a mesma.

Somam a essas alegrias tão ineptas os jogadores, dos quais conhecem a loucura só por ouvir falar, e não por a experimentarem, e, além desses, os caçadores e os falcoeiros. Qual é o prazer em jogar dados sobre uma mesa? Mesmo que o praticasses muitas vezes até que obtivesses disso algum prazer, acaso também não poderia surgir, contudo, por ser um costume frequente, um enfado? Ou ainda, que satisfação pode haver, e que de preferência já não seja um desgosto, em ouvir os latidos e uivos dos cães de caça? Em que sentido o prazer é maior quando um cão persegue uma lebre do que quando um cão persegue o outro? Ao final das contas, tanto em um como em outro acontece a mesma coisa, e se é a corrida que te agrada, então corra tu mesmo. Porém, se é a esperança de um assassinato, a expectativa da morte e da mutilação que te detém, seria melhor que te movesse a misericórdia ao ver uma lebrinha ser despedaçada por um cão, o fraquinho pelo fortão, o covarde e cauteloso pelo selvagem e, por fim, o inofensivo pelo cruel.

Assim, os utopienses relegaram todas as formas de caçada, porque indignas de serem feitas por homens livres, aos açougueiros – arte essa que, como dissemos acima, compete aos escravos. Consideram que a tarefa mais baixa do seu trabalho é a caçada; as tarefas restantes, às quais conferem um valor maior, são mais úteis e mais honestas, visto que eles matam por necessidade e somente os animais populares, enquanto um caçador não busca nada, exceto o prazer que obtém a partir do assassinato e da mutilação do mísero animalzinho. Consideram que aquele desejo de observar a morte, ainda que de bestas, ou surge de um sentimento cruel do espírito, ou descende do fato de a crueldade dos prazeres selvagens tornar-se, por muita assiduidade, um costume.

Essas atividades, então, e qualquer uma que assim o seja – são inúmeras –, ainda que o vulgo as considere como algo prazeroso para os mortais, os utopienses, por sua vez, declaram desprovidas de qualquer relação com o verdadeiro prazer, já que elas nada possuem de natural ou agradável. E embora elas infundam ao vulgo um sentimento de alegria, uma vez que a têm como prática prazerosa, os utopienses não cedem em nada sobre a sua sentença. Na verdade, não está em questão a natureza da coisa-em-si, mas o seu costume perverso, cujo vício faz com que as pessoas abracem o amargo como doce, de um modo semelhante ao qual as mulheres grávidas julgam o sebo e o pez, por seu gosto impuro, mais melífluos que o mel. O juízo de qualquer um, porém, ainda que corrompido por uma doença ou por um hábito, não será capaz de mudar a natureza do prazer mais do que é capaz de mudar a natureza de outras coisas.

Os utopienses admitem diversas formas de prazer que reconhecem como verdadeiras.

Todavia, atribuem algumas ao espírito, e outras, ao corpo. Ao espírito imputam o intelecto e aquela doçura que a contemplação da verdade produz. A esse deleite é somada a memória de uma vida bem conduzida e a esperança nada incerta de um bom futuro.

Dividem o prazer do corpo em duas espécies, das quais a primeira diz respeito ao que infunde nos sentidos uma clara satisfação, e a segunda, ao que renova aquelas regiões drenadas pelo calor quando incorporado e que são então restauradas com a bebida e a comida, bem como à evacuação das coisas em que o corpo abunda. Isso acontece quando purgamos dos intestinos os excrementos, quando damos vazão aos filhos ou quando, seja esfregando, seja arranhando, aliviamos a coceira de uma parte qualquer do corpo. Às vezes, é verdade, o prazer surge não porque alguma coisa que os nossos membros desejam foi restaurada, ou porque aquilo pelo que eles sofrem foi eliminado, mas sim com o que, por certa força oculta ou movimento distinto, provoca e afeta os nossos sentidos, atraindo-os para si – tal o que ocorre a partir da música.

A outra forma de prazer do corpo consiste, eles consentem que o seja, em um estado de quietude e equilíbrio do corpo, ou seja, que sua saúde não seja interrompida por nenhum mal. Assim, consequentemente, se nenhuma dor a assaltar, a saúde deleitará por si própria, visto que não é movida por nenhum prazer externo somado a ela. Embora, é certo, ela estimule e ofereça menos coisas aos sentidos do que aquela vontade violenta de beber e comer, ainda assim muitos a consideram o prazer máximo. Todos os utopienses, em geral, consideram-na a base maior de tudo, como se fosse mesmo o seu fundamento, visto que, sozinha, ela oferece condições plácidas e desejáveis de vida; contudo, se removida, não restará nenhum lugar pra qualquer que seja o prazer. À completa ausência de dor, porém, a não ser que esteja presente a saúde, os utopienses não chamam de prazer, mas de insensibilidade.

Há muito foi retirado de sua convivência – questão essa que também foi diligentemente debatida entre eles – aquele preceito pelo qual algumas pessoas consideram que uma saúde estável e tranquila não pode ser tida como um prazer, visto que, conforme dizem, a saúde não pode ser percebida exceto por alguma motivação externa. Na direção contrária a essa, porém, quase todos os utopienses concordam que a saúde está em primeiro lugar entre os prazeres. Uma vez que a dor, dizem eles, esteja presente na doença, sendo então inimiga implacável do prazer, e que a doença não é diferente com relação à saúde, por que o prazer, por sua vez, não pode ser relacionado a uma saúde tranquila? Creem ainda que nada de novo é acrescentado a essa discussão se for dito que a dor é a própria doença, ou que ela somente está presente na doença, porquanto o efeito é o mesmo em ambos os casos. Da mesma forma, então, tanto no caso de a saúde ser, ela mesma, o prazer, como no caso de ela ser algo que inevitavelmente produz o prazer, tal como o calor, que dá vida ao fogo, sem dúvida, em ambos os casos, acontece que o prazer não pode estar ausente nas pessoas em que a saúde se apresenta inabalável.

Além disso, quando comemos, dizem eles, que outra coisa que não a saúde, a qual começa a se abater, luta bravamente contra a fome tendo a comida por companheira de batalha? Nessa luta, enquanto pouco a pouco a pessoa se fortalece, o mesmo processo conduz ao costumeiro vigor, com o que, assim, restauramos o prazer. A saúde, então, que se regozija no conflito, não se alegrará quando for obtida a vitória? E ainda, quando felizmente alcançada a prístina força, a única coisa que se buscou durante todo o conflito, acaso a saúde ficará imediatamente espantada e não reconhecerá nem abraçará sua boa condição? Pois os utopienses, é certo, consideram uma afirmação extremamente distante da verdade aquilo que se diz sobre a saúde não ser percebida. Quem, eles dizem, estando atento, não se perceberá são, a não ser que não o esteja? Quem pode estar tão sujeitado pela insensibilidade ou pela letargia a ponto de não admirar a saúde, em si, como algo prazeroso e deleitável? E mais, que outra coisa é o deleite que não o prazer com um outro nome?

Pois bem, estimam especialmente os prazeres do espírito, que declaram ser os primeiros e os principais de todos; julgam que sua parte mais importante provém do exercício das virtudes e da consciência de uma boa vida. Daqueles prazeres que o corpo proporciona, batem palmas à saúde. Os utopienses estabelecem que devem ser igualmente buscadas, pois, as doçuras do beber e do comer, bem como qualquer outra que tenha o mesmo tipo de deleite, mas apenas em razão da saúde – na verdade, tais coisas não são prazerosas por si, mas porque se erguem contrárias ao que avança secretamente sobre a boa saúde. Por isso, do mesmo modo que, ao sábio, é maior o dever de afastar as doenças do que o de escolher seu tratamento, bem como de acabar com as dores mais do que admitir seu consolo, assim também seria melhor não privar-se desse tipo de prazer a mitigá-lo.

Se qualquer pessoa se considerasse realizada com tal gênero de prazeres, também deveria admitir que somente seria felicíssima se lhe coubesse uma vida traduzida pela eterna alternância entre a fome, a sede e a coceira e o comer, o beber, o arranhar-se e o coçar-se – e quem não a reconheceria como uma vida não somente repugnante, mas também miserável? Certamente, esses prazeres são os mais ínfimos de todos, visto não serem puros, ou seja, nunca ocorrerem exceto em conjunto com as dores suas antagonistas. Na verdade, a fome se associa ao prazer de comer não por uma lei de igualdade, pois, do mesmo modo que a dor, é tanto mais veemente quanto mais duradoura. Por certo, ela tanto nasce antes do prazer como não se extingue sem que ele se extinga ao mesmo tempo. Sendo assim, os utopienses não acham que esses prazeres devam ser considerados elevados, exceto até o ponto em que a necessidade os reclame. Ainda assim, animam-se com eles e os reconhecem como uma indulgência da mãe natureza, que alicia seus filhos a fazerem essas coisas por necessidade de modo assíduo e com prazeroso deleite. Em quão grande tédio seria viver se as enfermidades cotidianas, como a fome e a sede, tivessem que ser curadas tal e qual outras moléstias que raramente nos infetam, ou seja, por meio de drogas e fármacos amargos?

Conservam, contentes, a aparência, a força e a atividade como dons da natureza, próprios e deleitantes. Além disso, os prazeres que são recebidos pelos ouvidos, olhos e narizes, os quais a natureza consentiu que fossem próprios e peculiares aos homens, pois nenhuma outra espécie dos animais contempla a aparência e a beleza do mundo ou é movida pelos aromas com qualquer outro benefício que não discernir a comida ou distingue as diferenças dos sons entre consonantes e dissonantes, tais prazeres, eu digo, perseguem como se fossem condimentos aprazíveis à vida. Com relação a todos os prazeres, porém, consideram a seguinte regra: um menor não deve impedir um maior, nem a dor deve ser produzida em qualquer que seja o momento – a qual necessariamente se segue, eles pensam, se o prazer for falso.

Seria loucura desprezar o esplendor da aparência, diminuir seu vigor, transformar a atividade em preguiça, esgotar o corpo com jejum, causar dano à saúde e desprezar outros deleites da natureza, a não ser que a pessoa negligencie sua própria comodidade enquanto cuida ardentemente do interesse de outros ou do público, esperando, como resposta ao seu labor, um prazer maior vindo de Deus. De outro modo, sem que fosse para o bem de alguém, causaria o mal a si próprio ou sofreria, com menos pesar, adversidades que talvez nunca o acometessem somente por causa de uma sombra vã de virtude. A este, na verdade, os utopienses consideram demencialíssimo, alguém cruel contra o seu próprio espírito e muito ingrato à natureza, que renuncia a todos os seus benefícios como se desconsiderasse dever qualquer coisa a ela.

Essa é a sua opinião sobre o prazer e a virtude, pela qual acreditam que nada mais verdadeiro possa ser alcançado pela razão humana, exceto se uma revelação vinda dos céus inspirar nos homens algo mais sagrado. Se, sobre esse assunto, pensam certo ou errado, nem o tempo nos permite examinar, nem é necessário que o façamos; além do mais, não conjecturamos que as instituições relatadas deveriam ser defendidas. Ademais, uma coisa certamente me convence: de qualquer maneira que estabeleçam esses princípios, não haverá, em qualquer que seja o lugar, um povo mais distinto e uma república mais feliz.

Têm o corpo ágil e vigoroso e mais forte que o quanto promete a estatura, que não é, contudo, pequena. E ainda que o solo não seja fértil em toda parte, nem sejam suficientemente beneficiados pelo clima, fortificam-se contra o tempo com uma vida temperada e remediam a terra com diligência, de modo que, em qualquer lugar, não existam proventos de safra e gado mais abundantes, ou homens de corpos mais enérgicos e sujeitos a tão poucas moléstias. Tu podes observar que eles não somente realizam aquelas tarefas cuidadosamente conduzidas pelas pessoas do campo para que, por seu trabalho e astúcia, aproveitem a terra mais estéril, mas também é possível que vejas plantada em algum lugar uma selva arrancada à raiz em outro lugar pelas mãos do povo. Isso não é feito, porém, por motivos de fertilidade, mas de transporte, para que as madeiras estejam mais próximas do mar, dos rios ou das próprias cidades, pois as colheitas são carregadas por caminhos de terra por um esforço menor do que o de carregar madeiras por longas distâncias.

É, pois, povo sociável e bem-humorado, inteligente, apreciador do ócio, de corpos suficientemente tolerantes ao labor – quando é o caso, pois isso não os apetece em outros momentos de jeito nenhum – e de espírito infatigável para os estudos. Quando eles ouviram, de nós, sobre as letras e as ideias dos gregos, uma vez que, entre os latinos, não havia nada além da poesia e da história que parecesse poder ser largamente aprovado por eles, foi admirável com quanto afinco esforçaram-se para aprendê-las, por meio da nossa interpretação, à perfeição. Então começamos a ler para eles, naquele primeiro momento mais para que não parecêssemos recusar um esforço do que por esperarmos algum proveito seu. Porém, embora pouco tivéssemos avançado na leitura, sua diligência fez com que percebêssemos não ser a nossa, em vão, desperdiçada por seu intelecto. Com efeito, imitavam tão facilmente as formas da literatura, pronunciavam tão desimpedidamente as palavras, tão velozmente confiaram à memória e com tanta segurança começaram a repetir que, para nós, parecia ser um milagre, exceto porque a maior parte dos que assumiram que essas informações deveriam ser aprendidas, não atendendo somente à sua própria vontade, mas também a um decreto enviado pelo senado, era de acadêmicos maduros e com uma inteligência excepcional. Assim, com menos de três anos, nada havia na língua que eles perguntassem; liam fluente e perfeitamente os bons autores, exceto quando as corrupções do texto os impediam. Apropriaram-se tão facilmente das letras gregas, o que eu concluo por mim mesmo, porque estavam relacionadas às suas. Em outras palavras, eu suspeito que esse povo tenha sua origem conduzida a partir dos gregos, já que a sua língua, de resto geralmente persa, preserva severos vestígios da língua dos gregos nos nomes das cidades e das magistraturas.

Porque, para a minha quarta viagem a Utopia, coloquei no navio uma quantidade modesta de livros, pois havia mais claramente me decidido a nunca mais retornar à Europa do que fazê-lo em breve, de mim eles obtiveram a maior parte das obras de Platão, muitas de Aristóteles e também o *Sobre as Plantas*, de Teofrasto, o qual estava mutilado em muitas de suas partes, o que me dói profundamente: enquanto navegávamos, acabei por descuidar-me do livro, e um macaco o apanhou e arrancou várias páginas daqui e dali. Daqueles autores que escreveram gramáticas, possuem unicamente Láscaris, pois não trouxe Teodoro comigo, nem qualquer outro dicionário que não Hesíquio e Dioscórides. Têm por valiosíssimos os livrinhos de Plutarco e são capturados pela perspicácia e pelo humor de Luciano. Dos poetas, possuem Aristófanes, Homero e

Eurípedes, bem como Sófocles na pequena edição de Aldo. Dos historiadores, Tucídides e Heródoto, tal como Herodiano.

Além desses, Trício Apinato[33], meu companheiro, levou consigo certos pequenos opúsculos de Hipócrates sobre assuntos medicinais e o *Microtecne* de Galeno, livros esses que têm em grande apreço. Com efeito, ainda que, dentre todos os povos em geral, tão pouco necessitem da medicina, em nenhum outro lugar ela está em tão grande honra quanto entre eles próprios, visto enumerarem o seu conhecimento entre as mais belas e úteis partes da filosofia. Enquanto prescrutam os segredos da natureza com a ajuda de sua filosofia, parece-lhes que não somente sentem, por isso, um admirável prazer, mas que também entram em contato com a suma graça de seu autor e artífice. Este, pensam os utopienses, tal como outros artífices, expôs a máquina deste mundo para que fosse vista e contemplada pelo homem, o único a quem fez capaz de tantas coisas; por isso, considera mais valoroso o admirador de sua obra, observador atento e curioso, que o insensível e estúpido que negligenciou um espetáculo tamanho e tão admirável como se fosse um animal livre de intelecto.

O engenho dos utopienses, exercitado pelas letras, contribui admiravelmente para aquelas invenções das artes que criam algo para o proveito de uma vida cômoda. Mas duas dessas invenções eles devem a nós: a da impressão e da fabricação do papel – não

---

33. O nome do colega de Hitlodeus é retirado de um verso do poeta latino Marcial (14.1.7): *sunt apinae triciaeque, et si quid vilius istis*, que se poderia traduzir como "são ninharias, futilidades e, se possível, algo mais vil que isto". *Tricius Apinatus*, então, o nome do colega conforme empregado por Morus, poderia ser traduzido como Ninharia Bagatela, por exemplo.

somente a nós, é certo, como também, em boa parte, a si próprios. Quando mostramos a eles as letras impressas por Aldo em livros de papel e começamos a falar sobre os materiais para a fabricação do papel e sobre a façanha de imprimir letras, antes mesmo de que explicássemos os métodos - não que qualquer um de nós fosse calejado em uma ou outra arte -, imediata e distintamente eles inferiram o restante por si próprios. E, embora só tivessem escrito sobre peles, cascas e papiro, imediatamente tentaram fabricar papel e imprimir letras. Contudo, em um primeiro momento, não avançaram nisso satisfatoriamente, mas, experimentando fazê-lo com maior frequência, em pouco tempo o conseguiram, e tanto o fizeram que, se tivessem disponíveis os exemplares dos livros dos gregos, não sofreriam com a ausência de mais nenhum. Até agora, porém, não têm mais do que os por mim mencionados, mas multiplicaram os livros já impressos em muitos milhares de exemplares.

Qualquer um que chegar a Utopia como visitante e que seja distinto em algum talento do engenho ou que, por causa de uma longa viagem, conheça os costumes de muitos países, em nome do que nossa chegada foi grata entre eles, será recebido com boa vontade. Além disso, eles ouvem contentes o que se passa em qualquer lugar da terra. Todavia, os mercadores não aportam com muita frequência por lá. O que levariam, pois, a não ser ferro ou, o que qualquer um preferiria trazer a levar, ouro e prata? As coisas que eles precisam exportar, preferem, por prudência, eles mesmos transportarem a que sejam entregues por estrangeiros. Com isso, tanto podem passar mais tempo explorando povos além de suas fronteiras e em qualquer lugar, como não se esquecerão nem da prática nem dos costumes das navegações marítimas.

Dos escravos

Não mantêm como escravos nem os prisioneiros de guerra, a não ser os de guerras geridas por eles mesmos, nem os filhos de escravos e nem, por fim, qualquer um que possam adquirir como escravo junto a outros povos, mas sim alguém a quem, entre os seus, tenha sido transformado em escravo por algum ato vergonhoso, ou os que, em cidades estrangeiras, e esse é o tipo mais frequente, foram destinados ao suplício por um crime cometido – e que são muitos; são estes, pois, os que eles levam, às vezes comprados por um baixo custo, mas, frequentemente, obtidos de graça. Eles não somente mantêm esse tipo de escravo em trabalho perpétuo, mas também acorrentados, embora sejam mais duros com os escravos seus compatriotas, os quais entendem como exemplos dos mais vis e merecedores das maiores misérias, uma vez que foram tão egregiamente instruídos para a virtude por uma educação tão esplêndida e, ainda assim, não puderam privar-se do crime. Outro tipo de escravo surge quando um trabalhador braçal, pobre e laborioso, de um outro povo, escolhe servir aos utopienses por vontade própria. Tratam-no com decência e, exceto porque um pouco a mais de esforço é adicionado ao seu labor costumeiro, consideram-no de modo não muito menos clemente que aos cidadãos. Não retêm, contra a sua vontade, ao que deseja partir, o que não acontece com frequência, nem o deixam ir com as mãos vazias.

Como eu disse, tratam os doentes com o maior afeto e não deixam escapar absolutamente nada com o que possam restituir-lhe a saúde, quer seja recomendação de dieta, quer de tratamento. Além disso, consolam os que lutam contra uma doença incurável, visitando, conversando e, por fim, empregando tudo com o que possam mitigar seu sofrimento. Por outro lado, caso a doença não seja somente irremediável, mas também maltrate e torture perpetuamente, então os magistrados e os sacerdotes encorajam o homem: por ser incapaz de todos os deveres da vida, bem como um grave aborrecimento para os outros e para si próprio, alguém que apenas sobrevive à sua própria morte, então que ele não decrete, a si próprio, alimentar diariamente a doença e a aflição, nem hesite em morrer quando a vida transformar-se em um tormento para ele; além disso, para que, confiante na boa esperança, ou liberte a si mesmo daquela vida amarga como uma prisão ou um aguilhão, ou permita, por sua própria vontade, ser dela tirado por outras mãos. Ao fazer isso, realizaria um ato de sabedoria, pois sua morte não o estaria libertando de algo agradável, mas de um suplício; na verdade, porque aconselhado nesse assunto por um sacerdote, um intérprete de Deus, estaria agindo com santidade e piedade.

Aqueles aos quais assim persuadem ou findam a vida fazendo jejum por sua própria vontade, ou descansam entorpecidos sem perceberem a morte. Não impõem nada contra a vontade de ninguém, nem diminuem qualquer obrigação com quem se recusa a morrer. Os persuadidos por esse pacto morrem com honra, mas, por outro lado, o que traz a morte para si próprios por uma causa não aprovada pelos sacerdotes e pelo senado, este não é considerado digno nem de terra nem de fogo e é vergonhosamente abandonado insepulto em um pântano qualquer.

As mulheres não casam antes dos dezoito anos, e os homens antes de terem, completos, os vinte e dois. Se, antes do casamento, tanto o homem como a mulher forem convencidos pela furtividade do desejo, um e outro serão severamente punidos: o casamento fica vetado a ambos para o resto da vida, a não ser que a vênia do príncipe perdoe o crime. Tanto o pai como a mãe da família em cuja casa foi cometido o escândalo, como tão pouco diligentemente cuidaram de suas responsabilidades, ficam expostos a uma grande desonra. Punem tão severamente esse crime por considerarem que, no futuro, a menos que fossem diligentemente afastados do vago concubinato, poucos se uniriam no amor matrimonial, no qual perceberiam ser necessário despender a vida inteira com uma única pessoa, bem como suportar as moléstias causadas por essa obrigação.

Ademais, nas escolhas dos cônjuges, há um ritual bastante sem sentido, conforme nos pareceu, e sobretudo ridículo, que eles cumprem com seriedade e gravidade. Uma matrona grave e honesta exibe ao pretendente a mulher nua, seja ela virgem ou viúva; por sua vez, um homem probo apresenta à menina o pretendente nu. Enquanto nós, rindo, desaprovávamos esse costume como se fosse sem sentido, eles, em resposta, espantavam-se com a estupidez insigne de todos os outros povos, os quais, na compra de um cavalo, em que pouco dinheiro está envolvido, tanto se acautelam que, por mais nu que o cavalo geralmente esteja, se recusam a comprá-lo a não ser que seja retirada a sela e arrancado todo o pelego, para que não se escondam ulcerações sob eles cobertas; na escolha da cônjuge, contudo, decisão a partir da qual ou o prazer, ou o repúdio será companheiro por toda a vida, tão negligentemente agem que, com o corpo deixado coberto pelas roupas, consideram toda a mulher a partir de um único palmo de corpo livre, pois nada além do rosto é visto, e a ela se unem, mas não sem um grande perigo de enlaçarem-se miseravelmente se algo desagradar posteriormente. Nem todos os homens são tão sábios a ponto de ponderar somente os costumes;

e mesmo os próprios sábios, no que diz respeito às suas cônjuges, adicionam às virtudes do espírito, em alguma medida, os dotes do corpo. Não há dúvidas de que, sob as camadas de roupa, pode estar escondida uma deformidade tão horrenda a ponto de alienar inteiramente a estima pelo intelecto da esposa quando já não for lícito separar-se de seu corpo. Se, por acaso, tal deformidade for encontrada após as núpcias terem sido contraídas, é preciso que cada um suporte a sua própria sorte; e para que ninguém seja enganado em uma cilada, as pessoas devem ser anteriormente protegidas pelas leis.

É, pois, por se preocuparem que agem com tão grande zelo: são os únicos daquela região do planeta a limitar-se a um único casamento, e não é sempre que, por lá, um matrimônio se dissolve por um motivo que não a morte – a não ser por causa de adultério ou por um problema de costumes que não se consiga suportar. Na verdade, a permissão para que se troque de cônjuge é concedida pelo senado quando um dos dois é ofendido pelo adultério; e o outro dos cônjuges, então, passa a levar uma vida celibatária e, ao mesmo tempo, infame. Por outro lado, nenhuma permissão é concedida a quem rejeita a esposa constrangida sem qualquer motivo de injúria só porque um desastre acometeu seu corpo. Isso porque os juízes consideram crueldade quando qualquer pessoa é abandonada no momento em que mais precisa de ajuda, ou quando a lealdade à velhice, a qual pode trazer alguma doença ou ser a própria doença, é incerta e frágil.

Além disso, às vezes, quando os costumes dos cônjuges não se harmonizaram satisfatoriamente entre si e os dois descobrem outras pessoas com as quais acreditam que a convivência seria mais agradável, acontece de ambos separarem-se por sua própria vontade e contraírem novas núpcias, mas não sem a autorização do senado, que não admite o divórcio antes de sua causa ser diligentemente investigada tanto por seus membros como por suas esposas. Na verdade, certamente o fazem para que não seja algo simples de se conseguir, pois sabem que, se a esperança de novas núpcias fosse facilmente ofertada, isso seria muito pouco útil à caridade estabelecida entre os cônjuges.

Os violadores do matrimônio são punidos com duríssima escravidão e, se nenhum dos dois for solteiro, os que sofreram a injúria, se desejarem, já divorciados dos adúlteros, são unidos em casamento entre si, ou com outras pessoas. Porém, se um dos lesados permanece amando o cônjuge tão pouco merecedor, não é proibido pela lei que o casamento continue, mas somente se ele quiser compartilhar as obrigações do condenado. Às vezes acontece de a penitência de um ou o zelo atencioso do outro despertarem a compaixão do príncipe, que novamente garante a liberdade. Contudo, caso alguém seja reincidente no crime, é imposta a morte.

A lei não determina nenhuma pena específica para os outros crimes, mas o senado decide com relação ao que é atroz ou parece contrário ao que é bom. Os maridos castigam as esposas, e os pais, os filhos, a não ser que cometam falta tão grande que a punição pública se revele do interesse dos costumes. Mas, no geral, os crimes mais graves são punidos com o inconveniente da escravidão, o que os utopienses certamente julgam não ser menos triste para o criminoso e mais conveniente para a república do que se tivessem se apressado para afastar e destruir os criminosos, pois assim como o labor é mais vantajoso do que a morte, pelo exemplo diário eles desencorajam os outros a vergonhas similares;

e se, mesmo acostumados dessa forma, rebelarem-se e desobedecerem como bestas indômitas que nem o cárcere nem as correntes são capazes de conter, e somente nesse caso, serão mortos. A esperança, porém, não é completamente subtraída aos condenados que têm paciência. Na verdade, se, subjugados por um grande sofrimento, trouxerem diante de si aquele arrependimento que atesta o reconhecimento do erro, sua escravidão poderá ser aliviada ou dispensada, algumas vezes por prerrogativa do príncipe e outras por votação do povo.

A sentença da sedução visando à desonra não é menor do que a da própria desonra. Com efeito, em todo ato vergonhoso, eles igualam a sua tentativa certa e determinada ao próprio ato consumado: não pensam, pois, que o fato de não tê-lo feito deva ser vantajoso a alguém que, se tivesse persistido, não deixaria de ter feito nada.

Consideram prazerosos os bufões, e insultá-los é uma grande vergonha; dessa forma, não proíbem o prazer causado por suas tolices. Acreditam, de fato, que isso seja extremamente bom para os próprios bufões, e não os confiam para que sejam protegidos a uma pessoa que seja tão séria e mal-humorada a ponto de não rir de nada que seja dito ou feito por eles; temem que o bufão não seja cuidado com a indulgência adequada por alguém assim, que, com ele, não somente não terá nenhum divertimento, mas também qualquer prazer – as únicas qualidades que o valem.

Rir-se de alguém deformado ou mutilado é considerado ato estúpido e vergonhoso, mas não para aquele que foi ridicularizado, e sim para quem riu, que estupidamente reprova, como se fosse um defeito, algo que aquelas pessoas não tinham o poder de evitar.

Consideram incompetência e preguiça não cuidar da beleza natural; além disso, procurar auxílio nas pinturas é, para eles, uma vergonhosa extravagância. Por sua própria experiência, perceberam que nenhuma distinção da beleza faz as mulheres valerem para os seus maridos o mesmo tanto que o fazem o respeito e a probidade dos costumes. Embora muitos sejam capturados pela beleza somente, nenhum permanece exceto pela virtude e pela obediência.

Eles não somente desencorajam os comportamentos vergonhosos com as penas, mas também convidam à virtude pela exposição das honras. Por essa razão, colocam, em praça pública, estátuas dos homens insignes e com méritos no que diz respeito à distinção da república, e o fazem tanto em memória de seus feitos bons como para que a glória de seus próprios antepassados sirva de estímulo aos mais jovens e de incentivo à virtude.

Aquele que solicita qualquer magistratura retorna sem a esperança de qualquer uma delas. Os magistrados convivem amigavelmente, porquanto nenhum deles é insolente ou terrível; eles são chamados de "pais" e reproduzem o seu comportamento. A honra, como se deve, é dada a eles pelos que desejam, e não exigida a relutantes. As vestes ou a coroa não diferenciam o príncipe dos seus, mas um estandarte de grãos que ele carrega; assim como a insígnia do pontífice é uma vela de cera trazida à sua frente.

Os utopienses têm muito poucas leis, e pouquíssimas já são o suficiente por causa de seus costumes. É isso o que eles desaprovam em primeiro lugar junto a outros povos, cujos volumes infinitos de leis e interpretações não são suficientes. Na verdade, eles acreditam ser injustíssimo que esses homens estejam subjugados a essas leis que ou são mais numerosas do que o quanto seriam capazes de ler, ou mais obscuras do que o quanto poderia ser entendido por qualquer pessoa. Além disso, excluem absolutamente todos os advogados, que habilmente arrastam as causas e discutem as leis com perspicácia. Acreditam, pois, ser mais vantajoso que cada um conduza a sua própria causa e conte as mesmas coisas ao juiz que seriam narradas por seus protetores, já que assim tanto seria menor a ambiguidade, como mais fácil a eleição da verdade. Com o próprio acusado dizendo aquilo que nenhum advogado conduziria sem artificialidades, o juiz habilmente analisa cada ponto e socorre, contra as calúnias dos espertalhões, os de engenho mais simplório. Dificilmente isso é observado em outros povos, cujo acervo de leis emaranhadíssimas é tamanho. Entre eles, na verdade, cada cidadão é um perito nas leis, uma vez que, como eu disse, elas são pouquíssimas e, além disso, eles acreditam que a interpretação mais crassa para qualquer uma das leis é também a mais justa. Por certo, dizem os utopienses, uma vez que todas as leis são promulgadas somente para que cada um seja avisado de sua obrigação, uma interpretação mais sutil serviria a pouquíssimos, pois são poucos os que a acompanhariam; ao mesmo tempo, um sentido mais simples e óbvio das leis estaria disponível a todos. Além do mais, porque diz respeito ao vulgo, de quem tanto é maior o número como a necessidade de advertência, o que representa a lei se acaso ela não é composta ou não pode ser completamente interpretada por qualquer um, de tal forma que ninguém possa desvendar sua sentença exceto por grande engenho e longa disputa? O crasso julgamento do vulgo nem é capaz de chegar a tal qualidade de investigação e nem seria suficiente para isso toda uma vida ocupada em manter-se vivo.

Incitados pelas suas virtudes, embora livres, e muitos deles os próprios utopienses libertaram outrora da tirania, alguns de seus vizinhos recrutam magistrados dentre os cidadãos utopienses por vontade própria, dos quais alguns permanecem por um ano, e outros, por cinco; cumprido o cargo, retornam com honra e glória e, em seguida, enviam outros para o país. Embora esses povos considerem sua república ótima e certamente saudabilíssima, uma vez que sua saúde e sua ruína dependem dos costumes dos magistrados, que outro poderiam eleger que fosse mais prudente do que aqueles que tanto não são capazes de se afastar da honestidade por qualquer que seja o dinheiro, algo que, ao retornarem, seria inútil dentro de pouco tempo, como não podem ser persuadidos pelo afã corrupto de qualquer pessoa ou pela inimizade, coisas desconhecidas em suas cidades? Esses dois males, a parcialidade e a ganância, se tivessem lugar nos julgamentos, imediatamente dissolveriam toda e qualquer justiça, o nervo de uma república fortíssima. Os utopienses chamam esses povos para os quais enviam comandantes de aliados; os outros, os quais auxiliam com alguma benfeitoria, dizem amigos.

Esses acordos que os outros povos estabelecem entre si e depois quebram e renovam, eles não barganham com nenhuma nação. Acaso pensas, eles perguntam, que um acordo, o qual desdenham, teria cuidadas as suas palavras, uma vez que nem a natureza concilia satisfatoriamente um homem com o outro? São conduzidos a essa opinião porque, naquela parte da terra, os acordos e pactos dos príncipes costumam ser observados com pouca boa-fé.

Por certo, na Europa e muito especialmente naquelas regiões em que prevalece a fé e a religião cristã, a majestade dos acordos é santa e inviolável, em parte por causa da própria justiça e da bondade dos príncipes, e em parte pelo respeito e pelo temor aos sumos pontífices. Estes, como nada prometem que não possam eles mesmos cumprir religiosamente, ordenam a todos os outros príncipes que não se afastem de suas promessas, e obrigam os tergiversantes com severidade e censura pastoral. Eles pensam, e com razão, ser extremamente embaraçoso que uma pessoa chamada justamente pelo nome de "fiel" falte com a fidelidade em seus acordos.

Naquele novo mundo, porém, que dificilmente o círculo do equador mantém tão distante do nosso mundo como o fazem a sua vida e os seus costumes, não há nenhuma confiança nos acordos, de tal modo que, quanto maiores e mais sagradas forem as cerimônias, mais rapidamente elas são dissolvidas; facilmente encontram, em suas palavras, algum defeito, o qual, por sua indústria, eles artificiosamente inserem para que nunca possam vincular-se por laços tão firmes a ponto de não conseguirem escapar – enganando, ao mesmo tempo, o acordo e a fé. Se a esperteza, ou melhor, se a fraude e o dolo forem detectados em um contrato privado, eles a proclamarão sacrílega e digna do magno suplício à forca; sem dúvida, porém, eles próprios se orgulham como se fossem autoridades ao aconselharem os príncipes para que ajam como eles. Com isso, faz-se que toda a justiça pareça uma virtude plebeia e humilde, depositada muito abaixo do fastígio dos reis; ou, ainda, que ela pareça ser duas, das quais uma, humilde e rastejante, protegida e incapaz de ser ultrapassada, presa em todos os lugares por várias correntes, diz respeito ao povo; e a outra, por sua vez, à virtude dos príncipes, certamente mais augusta do que aquela dos populares, bem como, e de muito longe, mais livre, em que nada do que não convenha precise ser feito, nem qualquer coisa que não agrade.

Esse costume, como eu disse, de os príncipes tão parcamente preservarem os acordos é, eu penso, o motivo para que os utopienses não firmem nenhum tratado; se vivessem aqui, talvez mudassem sua opinião. A eles parece que, conquanto sejam respeitados, ter seu comportamento inteiramente estabelecido por acordos é algo ruim: assim, ainda que somente uma colina ou um rio as separasse por uma pequena distância, as pessoas se creriam nascidas inimigas e rivais entre si, como se nenhum laço natural unisse um povo a outro, e com suposta razão procederiam a uma mútua matança, a não ser que fossem proibidas pelos acordos; ademais, não somente não se unem em amizade pelos seus próprios princípios, como também permanecem livres para a pilhagem, pois que, por imprudência na redação do acordo, nada de cuidadosamente adequado à compreensão há em seus termos que proíba essa prática. Por outro lado, os utopienses pensam que ninguém deve ser tomado por inimigo uma vez que não tenha feito nada de ofensivo: a comunhão natural é o avesso do acordo, e os homens se conectam uns com os outros mais satisfatória e vigorosamente por meio da benevolência do que dos pactos, mais pelo espírito do que pelas palavras.

Das questões militares

Abominam a guerra com todas as suas forças como se fosse uma coisa de animais, ainda que ela não seja tão comumente assídua entre os diferentes tipos de animais como o é entre os homens. Ao contrário do costume de quase todos os povos, não consideram nada inglório do mesmo modo que consideram sê-lo a glória buscada por meio da guerra. E embora se exercitem assiduamente nas disciplinas militares em dias determinados para que não sejam inábeis à guerra quando sua prática for exigida, e nisso não somente os homens, mas também as mulheres, não a empreendem, porém, facilmente, a não ser que, com ela, protejam suas fronteiras, expulsem inimigos infiltrados nas terras de seus amigos ou, ainda, por compaixão, com seus homens, libertem da servidão e do jugo de algum tirano um povo oprimido pela tirania – o que fazem por causa de sua natureza humana. Embora prestem esse auxílio aos amigos, nem sempre se defendem pela guerra, ainda que às vezes façam retaliações e vinguem as ofensas sofridas. Na verdade, só o fazem como último recurso: caso sejam consultados a respeito de uma questão, e os bens, comprovada a causa, não tenham sido restituídos, mesmo que demandados, assim, então, decretam a guerra contra os responsáveis. Contudo, não se decidem por isso somente quando algum espólio é levado em um assalto hostil, mas também, e muito mais selvagemente, quando os negociadores de qualquer que seja o povo fazem uma acusação injusta e a pintam como justa, seja por pretexto de leis iníquas, ou mesmo por interpretações impróprias de boas leis.

Nem foi outra a origem da guerra que, um pouco antes da nossa história, os utopienses, ao lado dos nefelogetas, travaram contra os alaopolitas[34] pelo

---

34. Ambos os nomes são compostos gregos: "nefelogetas" vem das palavras *nefelõn* (νεφελῶν: "das nuvens") e *genétēs* (γενέτης: "nascido"); e "alaopolitas" pode ter dois significados, a depender da divisão dos termos que o compõem: pode ser de α (negação) mais *laós* (λαός: "povo") mais *polítēs* (πολίτης: "cidadão"), significando algo como "cidadão sem povo" ou, ainda, "cidadão de uma cidade sem povo", ou pode ser de *alaós* (ἀλαός: "cego") mais *polítēs* (πολίτης: cidadão), significando algo como "cidadão cego", ou ainda "homem da cidade dos cegos."

pretexto de uma lei contra mercadores nefelogetas – uma injúria por eles sofrida, conforme entendiam os aliados. Porém, quer fosse lei, quer fosse injúria, sem dúvidas foi punida com uma guerra tão atroz, durante a qual a devoção e as forças dos povos circundantes se uniram aos recursos e aos ódios de ambas as partes envolvidas, que alguns dos povos mais prósperos foram arruinados, e os outros veementemente maltratados. As maldades nascidas desse mal não findaram até que a rendição e a servidão dos alaopolitas foi definida, pela qual eles terminaram em poder dos nefelogetas, uma vez que os utopienses não lutavam por causas próprias. Antes da guerra, porém, de jeito algum, já tendo os alaopolitas prosperado, os nefelogetas eram comparáveis ao seu povo.

Os utopienses também perseguem de maneira bastante severa as injúrias contra os seus amigos em questões financeiras, mas não agem do mesmo modo com as suas: se alguma vez, tendo os iludido, alguém os afasta de seus bens, mas isso somente se não houver violência corporal, tornam-se bastante irados a ponto de absterem-se do comércio com o povo insultante até que a penalidade pelo crime seja satisfeita. Não agem assim, porém, por acreditarem que os seus cidadãos mereçam menos cuidado do que aqueles das nações amigas, mas porque mais custosamente suportam que o dinheiro de seus aliados seja roubado do que o seu próprio, tendo em vista que os negociantes de seus aliados, porque perdem sua propriedade privada, sentem com mais gravidade a chaga causada pelo dano. Porém, quando isso ocorre com seus próprios cidadãos, nada de particular é levado, mas sim do que é público, o que, consequentemente, é abundante em sua própria casa, como se fosse supérfluo, pois, se fosse ao contrário, não o exportariam para outros povos. Com isso, fazem com que o sentimento de perda não recaia sobre ninguém em particular, pelo que consideram excessivamente cruel que esse prejuízo seja punido com a morte de muitos, uma vez que ninguém sentirá profundamente o seu dano seja em sua própria vida, seja em seus víveres. Por outro lado, se por uma injustiça alguém dentre os seus, em qualquer que seja o lugar, for morto ou incapacitado, tenha isso sido decidido por um consílio público ou privado, quando descoberto o assunto por seus embaixadores, a não ser que os culpados sejam entregues, os utopienses não se acalmam e, assim, declaram guerra imediatamente. Se os culpados são entregues, são punidos ou com a morte ou com a escravidão.

Não somente os desagrada uma vitória sangrenta, mas também os envergonha, pois acreditam ser ignorância pagar com tão alto preço até mesmo as mais preciosas mercadorias. Celebram os inimigos vencidos e conquistados por meio da arte e do dolo com grandes dispêndios, e em honra ao seu triunfo organizam uma solenidade pública e, como se fosse uma vitória conduzida com coragem, erguem a ela um monumento. A saber, só se vangloriam como homens corajosos quando vencem conduzidos pela virtude, isto é, pelo engenho humano, um meio de que nenhum animal, exceto o homem, é capaz – uma vez que, conforme dizem, com as virtudes do corpo, ursos, leões, javalis, lobos, cães e outras bestas lutam, das quais a maioria nos vence pela força e ferocidade, do mesmo modo que com engenho e raciocínio as superamos todas.

Esta é a única coisa que esperam na guerra, que obtenham aquilo pelo que, se houvessem conseguido antes, não declarariam a guerra; porém, caso essa coisa seja-lhes vedada, requerem contra aqueles aos quais imputam o feito uma vingança tão severa que, no futuro, o terror aterrará os que ousarem fazer o mesmo. Destinam os fins de seu propósito a isso, o que procuram atingir rapidamente, mas, no entanto, mais pelo cuidado com os perigos que devem ser evitados do que para conseguirem glória e fama.

Então, imediatamente após ter sido declarada a guerra, cuidam para que secretamente, em algum momento, sejam espalhados muitos cartazes corroborados por seu próprio selo público nos locais mais visíveis do território inimigo, nos quais prometem enormes recompensas para quem matar o príncipe adversário. Depois, determinam prêmios menores, mas ainda assim eminentes, pelas cabeças de cada um cujos nomes são anunciados em suas publicações. Esses são os que, logo abaixo do príncipe, eles consideram responsáveis pelos planos perpetrados contra seu povo. A quantia que estabelecem para um assassino é dobrada para aquele que entregar-lhes vivo qualquer um dos anunciados; além disso, com prêmios semelhantes e acrescida ainda a impunidade, também convocam os próprios anunciados contra os seus comparsas. E, assim, rapidamente fazem com que eles passem a considerar suspeitos todos os mortais, e que não sejam mais confidentes entre si, nem confiáveis, vivendo com um medo extremo e em perigos não menores. Consta que, repetidas vezes, boa parte deles, e especialmente o próprio príncipe, foi traída por pessoas nas quais eles haviam depositado a mais alta confiança. Tão facilmente as recompensas, para as quais os utopienses não possuem nenhum limite, impelem contra o crime quem quer que seja! Mas lembrando-se a quão grande risco os encorajam, cuidam para que a magnitude do perigo seja recompensada pelo volume dos benefícios: por isso, prometem não somente uma imensa soma de ouro, mas também campos próprios e perpétuos de grande retorno e em locais protegidíssimos junto às nações amigas, o que cumprem com suma lealdade.

Esse costume de fazer oferta e comprar os inimigos é desaprovado pelos outros povos como se fosse um crime cruel de um espírito degenerado, mas os utopienses o consideram de grande louvor, como se eles fossem pessoas prudentes que, desse modo, acabariam com as maiores guerras sem absolutamente nenhum combate, ou ainda pessoas humanas e misericordiosas que, com a morte de poucos culpados, salvam diversas vidas de inocentes, os quais, combatendo, seriam mortos em parte pelos seus, em parte pelos inimigos, dos quais lamentam pelas tropas quase como pelas de seu próprio povo, pois sabem que eles vão para a guerra não por vontade própria, mas porque são a ela conduzidos pelas fúrias dos príncipes.

Se a questão não avança por esse pacto, os utopienses então lançam e nutrem as sementes da discórdia, induzindo no irmão do príncipe ou em qualquer um dos nobres a esperança de tomar posse do reino. Se as facções internas enfraquecem, excitam e empenham os povos vizinhos contra os seus inimigos desenterrando algum antigo pretexto desses que nunca faltam aos reis.

Quando prometem suas forças para a guerra, fornecem dinheiro em abundância, mas pouquíssimos homens, os quais consideram de modo tão especial, estimando-se uns aos outros a tal ponto que ninguém dentre os seus se disporia de bom grado a ser trocado pelo príncipe adversário. O ouro e a prata, porém, porque conservam tudo para esse único uso, não expendem relutantemente, já que não vão passar a viver com menos comodidade ainda que empreguem a sua totalidade. Além disso, afora as suas riquezas domésticas, também possuem um tesouro infinito junto aos estrangeiros, visto que muitos povos, conforme eu disse antes, estão em débito com eles. Por isso, enviam para a guerra soldados contratados de todas as partes, principalmente junto aos zapoletas[35].

Esse povo dista quinhentas milhas de Utopia, na direção contrária ao nascer do Sol, são selvagens, rudes e ferozes: preferem as selvas e as altas montanhas, onde foram criados. Gente grosseira, inquieta, que atura o frio e o esforço, experta em todas as volúpias, desinteressada com a agricultura e negligente com suas construções e suas roupas, tendo cuidados somente com o gado. Em sua maior parte, vivem do roubo e da caça. Nascidos unicamente para a guerra, cuja oportunidade de disputar buscam ardentemente e abraçam apaixonadamente quando encontrada; emigrando em grande número, se oferecem por um preço baixo a qualquer um que esteja procurando soldados. Essa é a única arte que conhecem e é por ela que obtêm a morte.

Lutam com ferocidade e incorrupta lealdade sob o comando daqueles que pagaram, mas não se vinculam por um tempo certo: por esses termos, estabelecem condições para que, no dia seguinte, se um pagamento maior for oferecido pelo inimigo, eles possam vender-se, os mesmos que, depois de amanhã, novamente convidados por um soldo um pouco maior, retornam para o exército anterior. Poucas guerras surgem nas quais boa parte de um e outro exército não seja formada por eles. E cotidianamente acontece de pessoas unidas por laços de sangue

35. Do grego *zá* (ζά: "muito") mais *pōlētós* (πωλητός: "à venda, vendável").

e assoldadados nos mesmos lados, desfrutando entre si de uma relação bastante familiar, serem, pouco tempo depois, separadas em tropas contrárias, passando a combater como inimigos e, de ânimos opostos, esquecendo-se de sua origem e imêmores da amizade, passem a se dilacerar um ao outro, incitados à mútua matança por nenhuma outra causa que não a de terem sido assoldados por príncipes diferentes por alguns poucos trocados. Possuem preceitos tão acurados que são facilmente impelidos às trocas de exércitos pelo acréscimo de uma única moeda ao pagamento diário. Por isso, rapidamente embeberam-se na avareza que, entretanto, não tem serventia alguma para eles, pois aquilo que eles obtêm com o seu sangue consomem imediatamente com a luxúria a mais deplorável.

Esse povo milita pelos utopienses contra quaisquer que sejam os mortais, pois em nenhum outro lugar as suas forças são assoldadadas pela mesma quantia que eles oferecem. Visto que os utopienses procuram os melhores para que deles desfrutem, acabam abusando destes, que também são os piores tipos de homens, os quais, quando a situação requer, impelidos por grandes promessas, são submetidos aos maiores perigos, de onde a grande maioria nunca volta para exigir o que fora prometido. Aos sobreviventes, porém, pagam de boa vontade o que foi prometido, pelo que serão novamente inflamados a ousadias semelhantes. Contudo, os utopienses não sentem qualquer peso quando morrem muitos dos zapoletas, pois se supõem merecedores de grandes agradecimentos por parte de todo o gênero humano caso consigam purgar da face da terra todo esse povo imundo.

Secundando estes, os utopienses fazem uso das tropas daqueles pelos quais se lançaram às armas, e depois dos esquadrões auxiliares de seus outros amigos. Juntam, por fim, seus próprios cidadãos, dos quais escolhem alguém de comprovada coragem para comandar todo o exército. Para que o substituam, escolhem ainda outros dois homens, os quais são liberados caso o comandante permaneça incólume; se capturado ou morto, porém, um dos dois, escolhido pela idade, o sucede, e ambos serão substituídos por um terceiro, caso os aconteça o mesmo. Agem assim para que o exército não seja perturbado por causa de um general periclitante, uma vez que a sorte na guerra é inconstante.

Escolhem, em cada cidade, aquele que declara o nome de própria vontade. Não enviam ninguém em campanha para o estrangeiro contra a sua vontade, pois estão convencidos de que, se alguém é covarde por natureza, não somente ele não fará nada de corajoso, como ainda espalhará o medo entre seus companheiros. Porém, se a guerra avança contra a própria pátria, colocam até mesmo os medrosos, mas somente os valorosos de corpo, nos navios, misturados aos melhores, ou os dispõem espaçadamente nas muralhas, onde não há lugar para que se refugiem. Assim, pela vergonha que sentem diante dos compatriotas ou na presença dos inimigos, bem como pela esperança frustrada de fuga, oprimem o medo – além do que, às vezes, uma necessidade extrema pode converter-se em coragem.

Porém, assim como nenhum de seus homens é enviado para uma guerra no estrangeiro sem que o queira, as mulheres que desejam acompanhar seus maridos no serviço militar, por sua vez, não são proibidas de fazê-lo, e são até mesmo encorajadas e inspiradas com honrarias. Enviadas com seus homens, posicionam-se junto a eles nas fileiras e dispõem em sua volta cada um de seus filhos, consanguíneos ou por relação, para que eles possam auxiliar um ao outro, uma vez que, assim, estão próximas aquelas pessoas que a própria natureza estimula a se protegerem. Cai em máxima desonra o cônjuge que retornar sem o outro, ou o filho que volta depois de perder os pais. Por conta disso, caso os inimigos preservem suas posições, fica determinado que o combate corpo a corpo será longo e doloroso, acabando somente com a morte de todos.

Por certo, tomam todos os cuidados para que não seja necessário que eles próprios lutem, a ponto de fazer com que a guerra seja conduzida pelas mãos de representantes; mas quando não podem evitar entrar na batalha, tão intrepidamente a empreendem que, por prudência, recusam-na o quanto for possível. Não são tão ferozes no primeiro ataque, mas tornam-se, aos poucos e gradualmente, mais intensos e com os ânimos tão resolutos que preferem ser mortos antes mesmo de que possam recuar. Porquanto aquela garantia de víveres que todos têm em casa, bem como porque se eliminou a inquietante preocupação de como as gerações futuras serão cuidadas – desvelos esses que desencorajam os espíritos nobres –, seu espírito tornou-se sublime e venceu o desdém. Além disso, a perícia nas práticas militares deu-lhes confiança. Por fim, suas crenças corretas, com as quais tanto as doutrinas como os bons costumes da república são ensinadas desde a infância, acresceram-lhes coragem: por isso, não consideram a vida sem valor a ponto de a consumirem imprudentemente, nem tão imoderadamente preciosa para que, quando a honra recomendar que a deixem de lado, mantenham-na avara e torpemente.

Enquanto ferve a luta em todos os lados, jovens distintíssimos devotados e dedicados exigem, por si próprios, o chefe inimigo, os quais se lançam em campo aberto contra ele e o atacam em emboscadas, atingem-no tanto à distância como também de perto e o assaltam em uma cunha longa e contínua; homens descansados são enviados para o lugar dos fatigados e raramente acontece, a não ser que a fuga o espreite, de não ser morto ou não seguir, vivo, em poder dos inimigos.

Se a vitória é alcançada pelos utopienses, de modo algum eles procedem à matança, uma vez que, mais prazerosamente do que matar os que fogem, apoderam-se deles. Ainda assim, nunca perseguem os fugitivos sem manter, nesse ínterim, uma tropa equipada sob suas insígnias; e se, conquistados os seus outros destacamentos, a vitória for obtida por sua última tropa, é mais comum permitir que todos os inimigos escapem do que habituar-se a persegui-los com suas tropas em desordem, pois se lembram do que eles mesmos fizeram, e não uma única vez: derrotadas e conquistadas as forças de todo o seu exército, os inimigos, exultantes pela vitória, perseguiam os fugitivos por todos os lados, deixando poucos homens na retaguarda dos seus; atentos às oportunidades, então, os utopienses atacaram os homens dispersos e desgarrados, negligentes por causa de uma pressuposta segurança, e mudaram o resultado de toda a batalha, fazendo com que, por sua vez, vencidos vencessem vencedores.

Não se pode dizer facilmente se são mais astutos em construir emboscadas ou mais cuidadosos em escapar delas. Enquanto tu crês que eles se preparam para fugir quando não têm nada mais em seu espírito, é exatamente o contrário, pois, quando tomam essa decisão, tu pensas que não pretendem nada. Caso se sintam oprimidos pelo número ou pela posição dos soldados, movem seu acampamento durante a noite e, com as tropas em silêncio, esquivam-se com algum outro estratagema ou retiram-se aos poucos durante o dia mesmo, mas conservando a ordem das fileiras a tal ponto que são tão perigosos batendo em retirada quanto o são avançando para atacar. Industriosamente, os utopienses entrincheiram os acampamentos com uma fossa larga e profunda, enquanto a terra extraída é lançada para dentro do seu terreno. Não usam mão de obra escrava nesse trabalho, o serviço é feito pelas mãos dos próprios soldados, e todo o exército se dedica à tarefa, exceto aqueles que, às armas, ficam de guarda diante da vala para os ataques surpresa. Assim, com tantas pessoas se esforçando, rapidamente completam longas trincheiras de fechamento por grandes espaços de terra.

Para que resistam aos golpes, usam armaduras que atrapalham tão pouco a locomoção ou qualquer movimentação dos membros que eles não sentem nenhum estorvo quando estão nadando: estão acostumados a nadar de armadura, tarefa essa que está entre as primeiras lições da sua disciplina militar. As flechas são suas armas de arremesso a distância, as quais infantes e cavaleiros lançam enérgica e certeiramente; no combate corpo a corpo, não usam espadas, mas machados, que são letais tanto por causa do gume como pelo peso e que ferem seja cortando, seja golpeando. Inventam máquinas com engenho, mas escondem cuidadosamente suas criações para que não sejam vistas mais como algo ridículo do que como uma vantagem se reveladas antes de que a situação as exija. Na sua fabricação, ponderam para que sejam fáceis de transportar e hábeis nas manobras.

Guardam tão piamente as tréguas estabelecidas com os inimigos que não as violam por qualquer que seja a provocação. Não devastam as terras hostis, nem queimam as colheitas; previnem o quanto podem para que elas não sejam esmagadas pelos pés de seus homens e cavalos, confiados em que possam servir às suas próprias necessidades. Não atacam um homem desarmado, a não ser que ele seja um espião. Protegem as cidades rendidas e não saqueiam as tomadas, mas matam aqueles pelos quais a rendição é dificultada, uma vez que os outros defensores tenham sido sentenciados à escravidão; deixam intacta toda a turba desarmada. Se descobrem aqueles que induziram a rendição, repartem com eles uma parte dos bens dos condenados e presenteiam seus aliados com a parte restante, pois nenhum deles fica com qualquer coisa do espólio.

Terminada a guerra, os utopienses não imputam aos amigos as despesas nas quais incorreram, mas aos vencidos, em seu nome exigindo uma primeira parte em dinheiro que reservam para ser usada em batalhas semelhantes e outra em propriedades as quais tanto devem permanecer para sempre sob seus domínios como não podem ser de pouca receita. Por isso que hoje, junto a muitos povos, possuem recursos os quais surgiram, pouco a pouco, por diferentes motivos e que rendem, a cada ano, mais de setecentos mil ducados; sob o nome de questores, enviam alguns de seus próprios cidadãos para essas propriedades, onde eles vivem de maneira esplêndida, conduzindo a si próprios como pessoas de grande importância. Mesmo assim, ainda sobra muito para que seja depositado no erário, a não ser que eles prefiram emprestar a algum outro povo – o que costumeiramente faziam naquele tempo – até que o seu emprego seja necessário, e ainda assim dificilmente acontece de demandarem a totalidade dos ganhos de uma única vez. Por fim, distribuem parte do espólio para aqueles que, por causa de seu incentivo, incorreram em perigos tal e qual os que eu antes descrevi.

Se algum príncipe, tomado de armas e contrário aos utopienses, se prepara para invadir os seus domínios, imediatamente eles respondem enviando muitos homens para além de suas fronteiras, pois não conduzem uma guerra dentro de suas terras sem motivos, nem é tanta a necessidade a ponto de admitirem que uma tropa estrangeira os auxilie em sua própria ilha.

Das religiões dos utopienses

As religiões não são diferentes somente por toda a ilha, mas também em cada cidade, onde, no lugar de Deus, o Sol é venerado por alguns, por outros a Lua e, por outros ainda, algumas das estrelas errantes. E existem algumas pessoas que tomam não somente por deus, mas por deus supremo um homem de quem a coragem ou a glória brilhou outrora. Porém, a máxima parte e também, de longe, a mais prudente não acredita em nenhum desses, mas em uma única divindade, incógnita, eterna, imensa e inexplicável, a qual foi concebida muito além da mente humana e difundida por todo o universo não como uma massa, mas como virtude; chamam-na de pai. A essa única divindade atribuem a origem, o crescimento, o progresso, a mudança e o fim de todas as coisas, e não concedem honras divinas a qualquer outra divindade que não a ela.

Por outro lado, ainda que creiam em coisas diferentes, ajustam-se com estes todos aqueles outros, porquanto pensam haver uma única divindade suprema que é responsável tanto pela construção como pela providência de tudo; comumente a chamam, em sua língua pátria, de Mitras, mas discordam com relação a ela, pois essa mesma é considerada outra em outros lugares. Contudo, seja lá o que for essa divindade que eles conduzem à sumidade, acreditam ser ela exatamente aquela mesma natureza a quem é atribuída, pelo sumo consenso de todos os povos, o poder da unidade e a majestade de todas as coisas. Na verdade, aos poucos todos estão se afastando daquela variedade de superstições e se unificando nessa única religião que parece prevalecer às outras por conta da razão. Não há dúvida de que, já há algum tempo, aquelas outras crenças teriam desaparecido, a não ser porque algum acontecimento impróspero que a fortuna lançou a alguém que estivesse durante o processo de mudança de religião foi interpretado não como um acontecimento casual, mas como um sinal de ira enviado dos céus, tal como se fosse um propósito ímpio sendo vingado pela divindade cujo culto estaria sendo abandonado.

Mas depois de que ouviram de nós o nome de Cristo, sua doutrina, costumes, milagres e a não menos admirável perseverança de todos os mártires cujo sangue derramado por sua própria vontade conduziu tantos povos de tão longínquos lugares ao Seu séquito, tu não podes crer quão prona disposição essas mesmas pessoas concederam a Ele, seja porque secretamente Deus a inspirou, seja porque essa mesma visão é próxima àquela doutrina tão proeminente em seu país, embora eu acredite que também não foi de pouco peso o fato de terem descoberto ser do agrado de Cristo que as providências dos seus fossem bem comum, e que esse era ainda o costume nos mais legítimos grupos de cristãos. É certo, pois, por qualquer que seja o motivo, que não poucos reuniram-se à nossa religião e foram batizados pela água sagrada.

Na verdade, porque de nós quatro – precisamente em quantos sobrevivemos, já que dois de nós morreram – ninguém era sacerdote, o que me machuca, e ainda que instruídos em outras questões da nossa religião, os utopienses não puderam receber aqueles sacramentos que, entre nós, não são conferidos a não ser pelos sacerdotes. Eles os entenderam, porém, e por isso os desejaram mais ardentemente que qualquer outra coisa. E já debatiam entre si se alguém dentre os seus, mesmo sem ter sido enviado pelo pontífice dos cristãos, poderia conseguir o estigma de sacerdote eleito; mas ainda não o haviam escolhido, embora parecessem estar em vias de escolhê-lo quando eu estava para ir embora.

Além disso, os que não admitiam a verdade da religião cristã não desencorajavam ninguém a aceitá-la, nem atacavam os que a tinham escolhido, com exceção de um dos nossos que, comigo lá presente, foi punido. Este, ainda recém-batizado e contra as nossas recomendações, passou a dissertar publicamente sobre o culto de Cristo com mais entusiasmo do que prudência, e começou a abrasar-se a tal ponto que não somente preferia os nossos sacramentos aos outros, como também condenava, no mesmo instante, aqueles das outras religiões: vociferava-os profanos, bem como ímpios e sacrílegos os cultores, que deveriam ser punidos com o fogo eterno. Depois de ter abertamente palestrado essas coisas durante muito tempo, acusaram-no e pronunciaram-no culpado não de ter desrespeitado a religião, mas de ter provocado tumulto em meio ao povo; então sentenciaram-no com uma condenação ao exílio, porquanto entre as suas mais antigas instituições consideram que ninguém deve ser ofendido por causa da sua religião.

Já desde o início, Utópio, quando descobriu que antes da sua chegada os nativos brigavam assiduamente entre si por causa das religiões e observou que, dissidentes, eles lutavam por cada uma das seitas em vez de lutar por uma pátria em comum, aproveitou a oportunidade para conquistar todas elas e, tendo alcançado a vitória, declarou em primeiro lugar que era lícito a qualquer um seguir a religião que o agradasse e também possível esforçar-se, até certo ponto, para trazer outras pessoas para a sua religião, desde que construísse a sua argumentação gentil, comedida e racionalmente; contudo, não se podia refutar as outras seitas se aquele que deveria ser suadido não fosse persuadido, nem empregar nenhuma força ou reprimi-lo por meio de injúrias. Eles condenavam o mais petulante nessa questão ao exílio ou à escravidão.

Utópio instituiu essas leis não somente em consideração da paz, que ele viu ser completamente arruinada por disputas assíduas e por um ódio inexpiável, mas também por pensar que, dessa forma, estaria decidindo a permanência da própria religião: assunto sobre o qual ele não ousou determinar nada impensadamente, uma vez que tinha dúvidas se Deus não teria inspirado tipos variados de culto em uns e outros justamente por desejar essa multiplicidade. Sem dúvidas, ele supôs absurdo e insolente obrigar pela força e por ameaças que aquilo que tu crês verdadeiro fosse visto da mesma forma pelas outras pessoas. Então, tratando a questão com modéstia e sabedoria, previu com facilidade que, se apenas uma única verdade existir, e forem vãs todas as outras, ao fim acontecerá que a força da verdade sempre emergirá e se sobressairá por si mesma. Contudo, havendo disputa com armas e confusão, uma vez que os piores homens são também os maximamente obstinados, a melhor e mais santa religião, por causa das mais vãs superstições entre si, tal como grãos entre espinhos e arbustos, será esmagada. E assim, deixou toda essa questão em aberto e concedeu a cada um a liberdade para que acreditasse naquilo que quisesse crer, a não ser o que severa e justamente vetou para que ninguém se afastasse da dignidade da natureza humana a ponto de pensar que as almas também morrem com o corpo ou que o universo é movido pelo acaso, desconsiderando-se assim a providência.

Por pensarem a alma dessa forma, os utopienses acreditam que, depois da vida, serão decretados suplícios para as faltas e instituídas recompensas para as virtudes, e não contam como homens aqueles que entendem isso de maneira contrária à sua, uma vez que rebaixam a natureza sublime da alma humana à vileza do corpo definhado das bestas; estes estão, na verdade, tão distantes que nem os colocam entre os cidadãos, cujas instituições e costumes, todos, se não fosse pelo medo, eles certamente considerariam de pouca importância. Quem é capaz de duvidar que esse tipo de gente, em quem não resta nenhum temor em favor das leis e nenhuma esperança de que algo sobreviva além do corpo, não vai servir à sua própria cupidez seja enganando secreta e ardilosamente as leis públicas de sua pátria, seja as infringindo com violência? É por isso que, a alguém de tal inclinação, nenhuma honra é dada, nenhuma magistratura é confiada e nenhuma função pública é delegada. Alguém assim é, então, indiscriminadamente desprezado como uma pessoa improdutiva e de natureza baixa. Porém, os utopienses não os reprimem com nenhum suplício, porque estão convencidos de que não está ao alcance de ninguém escolher qualquer coisa que o agrade. Também não os obrigam por meio de qualquer ameaça a desprezarem seus sentimentos, nem são favoráveis a dissimulações e mentiras, as quais admiravelmente consideram odiosas como se fossem próximas à fraude. É certo que os proíbem de debater suas opiniões especialmente entre o vulgo, mas, por outro lado, junto aos sacerdotes e aos homens graves, e à parte do resto, não somente permitem tal debate como também o encorajam, confiados em que, por fim, aquele desatino dará lugar à razão.

Existem outras pessoas – e seguramente não são poucas, e certamente não podem ser impedidas como se carecessem de razão em suas opiniões ou fossem más – que, distantes do vício daqueles, julgam também serem eternas as almas dos animais, mas nem comparáveis em dignidade às nossas, nem nascidas para a mesma sorte.

Ademais, os utopienses têm como certo e seguro que a beatitude de todos os homens será, em geral, tão imensa que, embora eles lamentem as doenças de todas as pessoas, não pranteiam a morte de ninguém, a não ser que, inquietos, vejam alguém ser arrancado da vida contra a sua própria vontade. E têm isso por um péssimo augúrio, como se a alma, desesperançosa e consciente de seu mal, temesse sair para qualquer lugar por causa de um presságio oculto de pena iminente. Pensam, ainda, que não deve ser de modo algum agradável a Deus a chegada daqueles que, ao serem chamados, não acorrem alegres, mas são arrastados contra a vontade, recusando-se a vir. Horrorizam-se, então, ao contemplar este tipo de morte, e transportam, tristes e em silêncio, os defuntos; e após isso, tendo rogado a Deus que seja propício à alma e que, clemente, esqueça de suas enfermidades, entregam o cadáver à terra. Ao contrário, ninguém se enluta por aqueles que partem entusiasticamente e cheios de boas esperanças, mas escoltam seu funeral cantando, com afeição recomendando as almas ao magno Deus; por fim, cremam os corpos com mais reverência do que tristeza e, no mesmo lugar, erguem uma coluna onde estão inscritas as distinções do defunto. Ao retornarem para casa, relembram seus costumes e seus feitos, e nenhuma parte de sua vida é tratada mais vezes ou com mais alegria do que a sua feliz morte.

Eles calculam que a lembrança das probidades do defunto é um incitamento maximamente eficaz de virtudes para os vivos, e creem ser um culto gratíssimo aos mortos, os quais julgam estar presentes nos sermões sobre eles, ainda que, como é lânguida a vivacidade do olhar dos mortais, invisíveis. Pois não seria apropriado à sorte dos abençoados estar neles ausente a liberdade de mover-se para qualquer lugar que desejassem, e seria de uma completa ingratidão que abandonassem o desejo de visitar seus amigos, aos quais os enlaçaram o amor mútuo e a caridade enquanto viveram, valores os quais, tal como as outras boas coisas, eles conjecturam que, após a morte e com relação aos homens bons, mais aumenta do que se abrevia. Creem, então, que os mortos revolvem entre os vivos, espectadores de seus ditos e feitos, e por isso empreendem suas tarefas mais confiantes, como que apoiados por tais protetores, enquanto a crença na presença dos mais velhos os desencoraja a praticar desonestidades em segredo.

Os augúrios e as outras divinações das vãs superstições, para as quais é magna a atenção junto a outros povos, os utopienses desconhecem e, mais do que isso, ridicularizam. Os milagres, contudo, os quais surgem sem qualquer suporte da natureza, eles celebram como obras e testemunhos da presença da divindade. E reportam serem frequentes em seu país esses milagres, e às vezes, por causa de algum assunto grave ou crítico, os procuram e os obtêm por meio de uma súplica pública e de sua fé determinada.

Consideram ser um culto grato a Deus a contemplação da natureza e a sua estima. E existem, ainda, e seguramente não são poucos, os que, conduzidos pela religião, desconhecem as letras, não desejam nenhum conhecimento sobre nada, nem descansam com qualquer uma das atividades do ócio: presumem que são dignos da felicidade pós-morte somente pelo trabalho e pelo esforço em outros bons ofícios. Assim, alguns cuidam dos doentes, outros concertam as vias, limpam as fossas, reparam as pontes, escavam terra, areia e pedra, derrubam e cortam árvores e levam para a cidade, em carroças, lenha, frutos e outro itens. Não o fazem somente para o público, mas também para particulares, e como empregados trabalham mais do que os escravos. Em qualquer lugar, qualquer trabalho que seja rude, difícil e sórdido, qualquer trabalho do qual o fastio e o desespero desencorajam a maioria das pessoas, eles escolhem para si alegres e sorridentes. Conseguem o ócio para os outros e revolvem-se em trabalhos e tarefas perpétuas, e não acusam nem insultam a maneira pela qual os outros vivem, como também não ostentam a sua. Quanto mais eles exibem a si próprios como escravos, mais são honrados junto aos outros homens.

São duas as doutrinas entre este grupo. Uma de celibatários que não somente se abstêm de Vênus como um todo, mas também da ingestão de carnes – alguns deles, de qualquer tipo de carne; uma vez que rejeitam completamente os prazeres da vida presente como se fossem nocivos, somente esperam, avidamente, aqueles da vida futura, trabalhando duro e vigilando, ansiosos e animados com a esperança de que sejam obtidos em breve. A outra também prefere o trabalho, mas o matrimônio não lhes apetece menos, do qual não rejeitam o conforto, e consideram os filhos como um seu dever para com a pátria, como o é o trabalho para com a natureza. Não rejeitam nenhum prazer, desde que este não os atrapalhe no trabalho. Apreciam as carnes de quadrúpedes por acreditarem que, com esse tipo de alimento, tornam-se mais fortes para qualquer tipo de trabalho. Para os utopienses, estes são mais razoáveis; aqueles, mais santos. Se os primeiros preferissem o celibato ao matrimônio e antepusessem uma vida dura à tranquila apoiados apenas na razão, seriam ridicularizados; entretanto, uma vez que se confessam conduzidos pela religião, são admirados e respeitados. Os utopienses não observam nada mais cuidadosamente do que não pronunciar-se sem pensar sobre qualquer religião. Dessa maneira, então, essas pessoas são o que eles chamam, em sua própria língua, de "butrescas", palavra essa que pode ser interpretada como "grandes religiosos" em nossa língua[36].

Os sacerdotes são de extraordinária santidade, e portanto extremamente poucos. Cada cidade não possui mais que treze sacerdotes, um número igual ao das igrejas, exceto quando estão em guerra. Nessa situação, sete dentre eles são enviados com o exército, número igual ao de quantos os substituem nesse ínterim. Ao retornarem, porém, cada um retoma o seu posto; os que sobram, antes que substituam aqueles que vão falecendo, ficam sendo, nesse meio-tempo, assistentes dos pontífices, visto que esse posto é um à frente dos demais. São eleitos pelo povo conforme o rito de todas as outras magistraturas, por voto secreto, para que os problemas sejam evitados: eleitos, são então consagrados pelo colégio dos sacerdotes.

Eles presidem aos assuntos divinos, cuidam das religiões e são como que os censores dos costumes: é com grande vergonha que qualquer um é julgado

---

36. A palavra utilizada por Morus, *buthrescas*, foi criada a partir do prefixo grego *bou-* (βου-: "enorme, gigantesco") e da palavra *thrēskos* (θρῆσκος: "religioso").

por eles após ter-lhes sido enviado e acusado de uma vida de pouca probidade. Entretanto, como apenas o aconselhamento e a advertência são tarefas dos sacerdotes, a repressão e a punição dos criminosos cabem ao príncipe e aos outros magistrados, a não ser quando aqueles resolvem interdizer os rituais religiosos a quem descobrem ter sido desonestamente mau. Geralmente, nenhum suplício aterra mais do que a excomunhão, pois as pessoas tanto são desmoralizadas por uma grande infâmia como atormentadas por um medo oculto da religião, e nem mantêm o corpo em segurança por muito tempo, pois, a menos que demonstrem aos sacerdotes um rápido arrependimento, serão capturadas e pagarão ao senado uma pena por impiedade.

As crianças e os jovens são educados por eles, e a preocupação com as letras não é superior àquela com a moral e a virtude. Empregam um grande esforço para inculcar nas tenras e dóceis almas dos jovens crenças boas e úteis para a conservação da sua república, as quais penetram profundamente quando pueris, de modo a acompanhar os homens por toda a sua vida, tornando-se de grande utilidade para a manutenção do estado da comunidade, que não se esvai exceto pelos vícios que nascem de crenças perversas.

Para os sacerdotes – para aqueles que não sejam mulheres, já que este sexo não está excluído do trabalho sacerdotal, mas raramente é eleito para ele, e somente quando a mulher é viúva e de uma idade já avançada – são escolhidas as esposas mais distintas entre o povo.

Não são concedidas honras maiores a nenhum outro magistrado entre os utopienses, a ponto de que, se algum sacerdote admitir qualquer ato vergonhoso, ele não é levado a juri público, mas tão somente abandonado a Deus e a si próprio. Acreditam não ser fás entregar às mãos de mortais alguém que, por mais culpado que seja, dedicou-se a Deus de um modo tão singular como uma oferta sagrada. Esse costume é mais facilmente observado entre eles por serem tão poucos os sacerdotes e por serem escolhidos com tamanho cuidado. Além do mais, dificilmente acontece de o melhor dentre os bons degenerar-se em corrupção e vícios, alguém que é elevado a tão alta dignidade em consideração exatamente à sua virtude. Todavia, se isso acontecer, pois é inconstante a natureza dos mortais, ainda assim não se deve esperar nada de grande importância para o prejuízo público, uma vez que são tão poucos e que nenhum poder foi-lhes previsto, somente a honra. Eles os têm em tão poucos e pequenos grupos por esta razão: para que a dignidade da ordem, a quem agora seguem com tanta veneração, não se torne de pouco valor com sua honra sendo compartilhada com muitas pessoas, especialmente desde que julgaram ser difícil encontrar, com frequência, bons homens que lhes sejam pares em uma dignidade para cuja manutenção não são suficientes virtudes medíocres.

Nem a sua estima é maior entre os seus do que entre os povos estrangeiros, o que, conforme eu penso, pode ser facilmente visto neste exemplo: com as tropas combatendo no prélio, à parte eles se postam de joelhos, mas não muito longe, vestidos com as sacras roupas; com as palmas voltadas para o céu, primeiro rogam pela paz entre todos e depois pela vitória dos seus, mas sem que a batalha seja sangrenta para qualquer um dos lados. Tendo os seus vencido, correm para o fronte e inibem os mais ferozes em favor dos derrotados. Somente vê-los presentes e chamá-los já é o suficiente para que se continue vivo; um simples toque nas suas vestes esvoaçantes defende os bens restantes de todas as injúrias da guerra. Por causa desse comportamento, sobreveio-lhes, junto a povos de vários lugares, uma veneração e uma dignidade tão grandes que eles não só salvaram os utopienses da raiva dos inimigos, como também, e não menos vezes, retiraram os próprios inimigos das mãos dos seus aliados. Consta que, algumas vezes, inclinadas ao desespero as fileiras de seus homens, quando eles batiam em retirada e os inimigos avançavam para o massacre e a pilhagem, pela intervenção dos sacerdotes foi edificada e estabelecida a interrupção da matança e a paz mútua, sob iguais condições, entre ambas as tropas. Nunca houve, pois, nenhum povo tão feroz, cruel e bárbaro junto ao qual o corpo dos seus sacerdotes não tenha sido considerado sacrossanto e inviolável.

Celebravam como festivos o último e o primeiro dia de cada mês e também do ano, que é dividido em meses delimitados pelo curso da Lua, assim como a órbita do Sol descreve o círculo anual. Em sua língua, chamam todos os primeiros dias de cinemernos e os últimos de tropenermos, palavras que eles usam exatamente como se fossem ditas "primifesta" e "finifesta"[37]. Os templos eram extraordinários, e não

---

37. A palavra utilizada por Morus, *cynemernos*, parece ter sido criada a partir do grego *kyn'*, de *kynás* (κυνάς: "do cão") e *hēmerinós* (ἡμερινός: "do dia"); o dia do cão seria aquele que está entre o velho e o novo, quando se colocava comida nas encruzilhadas e o latido dos cães era interpretado como uma aproximação de Hécate. *Trapemernos*, por sua vez, pode ter vindo de *tropḗ* (τροπή: "virada"), mais *hēmerinós* (ἡμερινός: "do dia"), significando algo como "o dia da virada". É importante perceber, porém, que o próprio Morus revela os sentidos com os quais os termos eram empregados pelos utopienses, respectivamente "primifesta", ou seja, o dia da primeira festa, e "finifesta", o dia da última festa.

somente porque elaborados, mas também porque eram grandes para comportar um imenso número de pessoas, uma vez que eram tão poucos. Eram, ainda, um tanto obscuros, mas não porque feitos sem conhecimento em edificação, e sim por causa da crença dos sacerdotes de que a luz desmesurada dispersa os pensamentos; com uma luz dividida, porém, como que dúbia, eles creem que os ânimos se concentram e se direcionam exclusivamente para a religião.

Porque esta não é sempre a mesma entre eles, embora seja única do ponto de vista do culto à natureza divina, ainda que sejam várias e múltiplas as formas de fazê-lo, como se caminhos diversos conduzissem a um mesmo fim, por causa de tudo isso, então, nada é visto ou ouvido nos templos que não possa ser igualmente adaptado a todas as religiões. Se há algum tipo de rito próprio de uma seita específica, cumprem-no dentro das paredes de suas próprias casas; as cerimônias públicas são realizadas de uma forma que não impeça absolutamente nada aos rituais privados. Sendo assim, nenhuma imagem de Deus é vista nos templos, de modo que qualquer um é livre para conceber, de acordo com a sua religião, a forma de Deus que quiser. Não invocam nenhum nome de Deus em específico, somente Mitras, palavra com a qual todos concordam para referir-se à natureza única da majestade divina, seja ela qual for. E as preces, por sua vez, são concebidas para que possam ser pronunciadas por qualquer um sem que a sua crença seja ofendida.

No dia de finifesta, os utopienses reúnem-se no templo pela noite, todos em jejum, e dirigem-se a Deus dando-lhe graças pela prosperidade do mês ou do ano cujo último dia está sendo festejado. No dia seguinte, o da primifesta, dirigem-se juntos aos templos para que todos supliquem o sucesso, a prosperidade e a felicidade do ano ou mês seguinte, que começa sob os auspícios dessa celebração. No dia da finifesta, antes de que se dirijam para o templo, em casa, as esposas se precipitam aos pés dos maridos, e os filhos, aos dos pais, e confessam ter pecado e rogam o perdão do seu erro admitindo qualquer coisa ou dever executado negligentemente. Assim, se qualquer nuvenzinha de inimizade doméstica tiver se espalhado sobre a família, com essa satisfação ela é dissipada para que todos tomem parte nos rituais com o espírito puro e sereno, pois não é da religião estar ali presente com ânimos conturbados. Sendo assim, os que têm consciência de algum sentimento em si mesmos de raiva ou ira contra alguém, a não ser que já reconciliados e de disposição limpa, não participam do ritual por medo de uma vingança divina rápida e de grandes proporções.

Quando eles entram, os homens se dirigem para a parte direita do templo, e as mulheres, separadamente, para a parte esquerda. Colocam-se então de uma forma que a fila dos homens sente-se à frente do pai de família da casa, e a das mulheres, ante a mãe de família. Com isso, pode-se ver, de um ponto externo, todos os gestos de todos, que serão observados pela autoridade máxima de sua casa e comandados pela disciplina. Além disso, também se acautelam para que o mais jovem se junte ao mais velho, uma vez que as crianças, confiadas a outras crianças, gastam com criancices estultas esse tempo durante o qual deveriam, antes de qualquer coisa, formar seu temor com relação aos céus, praticamente o único grande incentivo às virtudes.

Não matam nenhum animal nos sacrifícios, nem creem que o sangue e as matanças deleitem a divina clemência, a qual distribuiu a vida aos animais para que a vivessem. Queimam incenso e também outras especiarias aromáticas; preferem ainda uma grande quantidade de velas, não porque ignorem que elas nada acrescentam à divina natureza, e certamente não como as próprias preces humanas o fazem, mas porque os agrada esse tipo inofensivo de veneração e porque, pelos odores, luzes e outras reverências, por algum motivo desconhecido, sentem-se com o espírito mais bem disposto, estimulados e preparados para o culto de Deus.

Todo o povo se apresenta no templo com roupas brancas; os sacerdotes trajam vestes de várias cores, admiráveis por sua forma e feitura, e não por serem de material precioso, entretecidas com ouro ou compostas com joias raras; trabalhadas, porém, em diferentes penas de aves, são obra de tão grande engenho e de tamanho labor que o preço do trabalho não poderia ser estimado, de modo algum, pelo do material. Além do mais, nessas penas e plumas de aves, assim como nos seus padrões de disposição que são distinguidos nas vestes dos sacerdotes, dizem estar contidos certos mistérios secretos; pelo conhecimento do seu sentido, que é diligentemente transmitido pelos sacrífices, eles são advertidos dos benefícios divinos a si concedidos, de sua responsabilidade para com Deus e também das obrigações mútuas entre si.

Tão logo o sacerdote se mostra ao sair da sacristia, imediatamente cada um dos que assistem se lança ao chão em sinal de respeito, e tudo em um silêncio tão grande em todas as partes do templo que a própria ambiência infunde um certo temor como se a divindade estivesse ali presente. Após permanecerem um pouco no chão, dado o sinal pelo sacerdote, eles se erguem. Então cantam louvores a Deus, os quais combinam com instrumentos musicais que, na sua maior parte, têm constituições diferentes daquelas que são vistas em nosso mundo. E assim como a maioria desses instrumentos excede em suavidade, e muito, os que são nossos, existem outros que não podem ser comparados aos nossos. Na verdade, em uma questão nos ultrapassam, sem dúvida, com uma grande distância: toda a sua música, seja aquela performada pelo órgão, seja a que é modulada pela voz humana, a tal ponto imita e exprime os afetos naturais, é a tal ponto adequada ao objeto - uma oração de súplica, ou alegre, aplacável, túrbida, lúgubre, irada -, enfim, a tal ponto o sentido mesmo do objeto é representado pela forma de sua melodia que ela acaba influenciando, penetrando e inflamando de um modo espantoso os ânimos dos que a ouvem. Por fim, os sacerdotes e o povo, juntos, declamam preces solenes de palavras formulares, compostas de maneira que as coisas recitadas em conjunto por todos podem ser repetidas para si próprios, em particular, por qualquer pessoa.

Nessas orações, quem quer que seja reconhece Deus como o responsável pela criação, pelo controle e também por todas as outras coisas boas. Dão muitas graças pelos benefícios recebidos, e especialmente porque, pela disposição favorável de Deus, caíram nessa república, que é felicíssima, e obtiveram essa religião, que esperam ser a mais verdadeira. Nessa questão, se eles estiverem errados, ou se alguma outra for melhor e mais aprovada por Deus, oram para que a Sua bondade faça com que eles a conheçam, pois estão preparados para seguir para qualquer lugar ao qual sejam conduzidos por Ele. Mas, se a forma da sua república for ótima e retíssima a sua religião, então pedem para que Deus conceda-lhes continuar com elas e faça com que todos os outros mortais vivam de acordo com as mesmas instituições, a não ser que exista algo nessa variedade de religiões que deleite a Sua inescrutável vontade.

Finalmente, imploram para que, após terem encontrado a morte sem dificuldades, Ele os receba junto a si, o que não ousam pedir-lhe que seja rapidamente antecipado ou protelado para mais tarde. No entanto, na medida em que permita sua ininterrupta majestade, dizem que seriam muito mais felizes, ainda que encontrassem morte dificílima, se atravessassem o quanto antes para perto de Deus, do que se fossem dele separados por uma vida próspera e longa. Dita essa prece e após novamente se lançarem ao chão e levantarem-se pouco depois, partem para o almoço, e o que resta do dia eles gastam nos jogos e no exercício das disciplinas militares.

***

A vós descrevi, tão verdadeiramente quanto pude, a forma da sua república, que, certamente, eu penso ser não somente a melhor, mas também a única que pode reivindicar para si o nome de república por seus próprios direitos. Ainda que vos falem, em outros lugares, de interesse público, em qualquer um deles as pessoas cuidam mesmo é do interesse privado, enquanto em Utopia, onde nada é privado, eles levam a sério os negócios públicos. Um e outro têm, por certo, o seu mérito, pois, em outros lugares, quão poucos há que não sabem, por mais que seja próspera a república, haver quem ainda morra de fome, a não ser que, à parte, façam provisões para si próprios? Lugares onde, consequentemente, impõe-se a necessidade de haver mais cuidado consigo mesmo do que com o povo, isto é, com os outros? Em Utopia, porém, onde todas as coisas são de todos, desde que se cuide para que os armazéns públicos permaneçam cheios, ninguém duvida de que não faltará nada para qualquer pessoa em particular. Não há distribuições de bens feitas com má índole, nem pobres e nem qualquer mendigo, e quando ninguém possui nada, todos são ricos.

Pois, que riqueza pode ser maior do que, completamente eliminada a preocupação com todas essas coisas, viver com o espírito feliz e tranquilo? Sem receios sobre os seus próprios víveres, sem o incômodo das queixas inoportunas da esposa, sem temer a pobreza do filho e sem a preocupação com o dote da filha, mas seguro sobre a felicidade e a vitória dos seus e daqueles de todos os outros, esposas, filhos, netos, bisnetos, trinetos e quão longa for a descendência dos seus que os nobres presumem? Além disso, não há menos provisões para aqueles que, agora impossibilitados, já não trabalham há um tempo do que para os que continuam trabalhando.

Quisera eu que alguém ousasse comparar, com a equidade dos utopienses, a justiça de outros povos dentre os quais eu morreria se encontrasse qualquer vestígio de justiça e equidade. Pois, que justiça é essa pela qual um nobre qualquer, um ourives, um usurário ou, enfim, qualquer um daqueles que ou não fazem absolutamente nada, ou fazem aquele tipo de coisa que não é muito necessário para a república, conseguem uma vida feliz e esplêndida, seja pelo ócio, seja por um trabalho supérfluo? Isso enquanto um trabalhador pobre, um carroceiro, um carpinteiro ou um agricultor, que laboram tão assiduamente que um jumento dificilmente o suportaria, cujo trabalho é tão necessário a ponto de que, sem ele, nenhuma república poderia durar nem sequer um ano, possuem, no entanto, uma provisão escassa, a tal ponto levando uma vida miserável que, de longe, até mesmo a condição dos jumentos parece melhor, para os quais o labor não é tão perpétuo, nem muito inferiores as provisões, que ainda são mais agradáveis para eles, que não possuem, durante a vida, nenhum temor quanto ao futuro. Mas àqueles tanto atormenta no presente o labor estéril e infrutífero, como mata a lembrança de uma velhice de escassez, uma vez que o seu pagamento diário é menor do que o suficiente para se passar o mesmo dia e fica aquém do quanto poderia excrescer e sobrar para que, no seu cotidiano, fosse capaz de repor, durante a velhice, o quanto usou.

Acaso não é iníqua e ingrata essa república, que despende tantos recursos com nobres, como os chamam, com ourives e com outros desse tipo, que ou são ociosos, ou aduladores e artífices de prazeres vazios? Para os agricultores, por outro lado, para os carvoeiros, os trabalhadores pobres, os carroceiros e os carpinteiros, sem os quais absolutamente nenhuma república existiria, não provê nada de bom, mas abusa de seu vigor florescente e, por fim, quando já abatidos pelos anos e pelas doenças e necessitados de todas as coisas, os recompensa, ingratíssima, imêmore de tantas vigílias e esquecida de tantos benefícios, com uma morte miserabilíssima. E, além disso, os ricos extorquem um pouco do salário diário desses pobres todos os dias, e não somente trapaceando às escondidas, mas também pública e legalmente. Assim, o que antes parecia injusto, recompensar um mérito pelo bom estado da república com o pior agradecimento, foi agora distorcido, pois, com a publicação de uma lei, transformaram isso em algo justo. E assim, quando todas aquelas repúblicas que florescem hoje são consideradas e revolvidas pelo meu espírito, nenhuma outra coisa me ocorre, e que Deus me ajude, que não uma conspiração dos mais ricos, que tratam de seus próprios interesses sob o nome e o pretexto da república. Eles divisam e inventam todos os meios e artifícios pelos quais primeiro conservem o que eles próprios acumularam por meios ilícitos sem medo de perdê-lo, e depois abusem do trabalho e do labor de todos os pobres com o menor retorno possível para estes. Esses expedientes tornaram-se leis quando, pela primeira vez, os ricos decidiram que eles deveriam ser considerados em nome do interesse público, que é também o dos pobres.

Mas esses homens degenerados que, com uma cobiça insaciável, dividiram entre si o que teria sido suficiente para todas as pessoas estão tão distantes da felicidade da república dos utopienses, da qual foi a fundo afastada, e por seu próprio hábito, a avidez pelo dinheiro! Da qual quão grande massa de moléstias foi retirada e quantas safras de crimes arrancadas pela raiz! Alguém ignora que seriam eliminados fraudes, furtos, roubos, brigas, tumultos, abusos, revoltas, mortes, traições, envenenamentos e punições diárias com suplícios e destruição, mais do que reprimendas, tudo isso causado pelo dinheiro? E, com esses, o medo, a ansiedade, as preocupações, labores e vigílias pereceriam no mesmo momento em que o dinheiro perecesse? Além disso, a própria pobreza, que só pelo dinheiro parece ser requerida, tão completamente ele fosse eliminado em todos os lugares, rapidamente decresceria por si própria.

Isto vai deixar mais clara a questão: considera em tua mente um ano qualquer, estéril e infecundo, no qual a fome consumiu muitos milhares de homens. Com muita certeza eu afirmo que, no fim do período de escassez, examinando-se os armazéns dos ricos, seria possível descobrir uma quantidade de alimentos tão grande quanto aquela que, se fosse distribuída entre os que a pobreza e a peste consumiram, seria suficiente para que ninguém tivesse experimentado absolutamente nada dos rigores da terra e do céu. Tão facilmente as provisões poderiam ser fornecidas, exceto porque, sozinho, o dinheiro, abastado, nos tolhe o caminho para elas, embora muito evidentemente ele tenha sido inventado para que, por ele, nos fosse possível acessá-las! Os ricos percebem essas coisas, eu não duvido, e não ignoram o quão melhor seria ter uma condição em que não falta nada de necessário do que abundar em muitas coisas supérfluas, ser arrebatado por numerosos males e sitiado por grandes riquezas. Nem resta em mim qualquer dúvida de que, por razão de seu próprio interesse ou por observar a autoridade de Cristo - aquele que, por causa de sua tamanha sabedoria, não pode ignorar o que seria melhor e, por causa de sua benevolência, não pode deixar de recomendá-lo a nós - eles facilmente já teriam trazido a todo o planeta, e há muito tempo, as leis da república dos utopienses, exceto porque se opõe a isso uma única besta, a primeira e a mãe de todas as pragas, a soberba.

Ela não mede o seu sucesso por suas próprias vantagens, mas pelas desvantagens dos outros. Ela não gostaria de ter sido feita deusa se não restassem miseráveis aos quais ela pudesse insultar e comandar, cuja pobreza ela atormentasse e incendiasse com seus recursos aumentados, e por cuja miséria a sua própria felicidade, tendo sido comparada, resplandecesse. Ela é serpente do averno atravessando o peito dos mortais para que não tomem um caminho de vida melhor, como rêmora que arreda e retarda.

Porque a soberba está muito firmemente presa nos homens para que possa ser facilmente retirada, alegra-me que essa forma de república, que eu escolheria com prazer para todos os povos, tenha cabido ao menos para os utopienses, que seguiram aqueles princípios de vida pelos quais estabeleceram os fundamentos de uma república não somente felicíssima, mas que também, pelo quanto pode a permanência humana ser pressagiada, durará para sempre. Pela raiz extirpados de casa, junto com outros vícios, a ambição e o facciosismo, nenhum perigo existe de que ocorram desentendimentos domésticos, uma questão que arruinou notavelmente os recursos e as proteções de muitas cidades. Salvas, porém, a concórdia da casa e a salubridade das instituições, a inveja de todos os príncipes vizinhos não será capaz de intimidar ou abalar o seu império, inveja essa que, repelida, já havia tentado tal feito muitas vezes no passado.

***

Quando Rafael nos contou tudo isso, não foram poucas as coisas que me chamaram a atenção nos costumes e nas leis daquele povo por parecerem princípios extremamente absurdos, e não somente no que diz respeito às razões para empreenderem guerras e às questões divinas e religiosas, e ademais a todos os seus outros princípios, mas também àquilo que sem dúvidas é o fundamento máximo de todas as instituições, a saber, sua vida e seus meios de viver comunitários, sem qualquer intervenção do dinheiro, questão pela qual são totalmente subvertidas toda a nobreza, a magnificência, o esplendor e a majestade da república, as suas verdadeiras glórias e ornamentos, conforme a opinião pública; contudo, porque eu sabia que ele já estava cansado por ter que narrar todas essas coisas, e porque não havia sido suficientemente examinado por mim se ele poderia considerar que houvessem pensamentos contrários à sua opinião, e particularmente porque eu me recordava daqueles que haviam sido censurados por ele porquanto temiam aparentar não saber o suficiente exceto se encontrassem qualquer coisa na qual pudessem criticar as descobertas dos outros, por causa disso, então, tendo louvado tanto os princípios daqueles como o seu próprio discurso, segurando a sua mão conduzi-o para dentro a fim de que ceássemos e falei, ainda, que seria necessário algum tempo para que nós pensássemos mais profundamente sobre essas coisas e pudéssemos debatê-las com ele mais prolificamente. E tomara isso possa acontecer em algum momento!

Enquanto isso, assim como não posso concordar, sem disputa, com tudo o que foi dito - e ademais - por um homem maximamente instruído e, ao mesmo tempo, maximamente perito nas questões dos humanos, assim também eu facilmente confesso que existem muitíssimas coisas na república dos utopienses que eu mais desejaria do que esperaria ver nas nossas cidades.

Fim do segundo livro.

* * *

Fim do discurso vespertino de Rafael Hitlodeus sobre as leis e as instituições da ilha dos utopienses, aqui pouco conhecida, pelo distintíssimo e eruditíssimo Senhor D. Thomas Morus, cidadão e visconde londrino.

Selo Vozes de Bolso

- *Assim falava Zaratustra*
  Friedrich Nietzsche
- *O príncipe*
  Nicolau Maquiavel
- *Confissões*
  Santo Agostinho
- *Brasil: nunca mais*
  Mitra Arquidiocesana de São Paulo
- *A arte da guerra*
  Sun Tzu
- *O conceito de angústia*
  Søren A. Kierkegaard
- *Manifesto do Partido Comunista*
  Friedrich Engels e Karl Marx
- *Imitação de Cristo*
  Tomás de Kempis
- *O homem à procura de si mesmo*
  Rollo May
- *O existencialismo é um humanismo*
  Jean-Paul Sartre
- *Além do bem e do mal*
  Friedrich Nietzsche
- *O abolicionismo*
  Joaquim Nabuco
- *Filoteia*
  São Francisco de Sales
- *Jesus Cristo Libertador*
  Leonardo Boff
- *A Cidade de Deus - Parte I*
  Santo Agostinho
- *A Cidade de Deus - Parte II*
  Santo Agostinho
- *O conceito de ironia constantemente referido a Sócrates*
  Søren A. Kierkegaard
- *Tratado sobre a clemência*
  Sêneca
- *O ente e a essência*
  Tomás de Aquino
- *Sobre a potencialidade da alma* – De quantitate animae
  Santo Agostinho
- *Sobre a vida feliz*
  Santo Agostinho
- *Contra os acadêmicos*
  Santo Agostinho
- *A Cidade do Sol*
  Tommaso Campanella
- *Crepúsculo dos ídolos ou como se filosofa com o martelo*
  Friedrich Nietzsche
- *A essência da Filosofia*
  Wilhelm Dilthey
- *Elogio da loucura*
  Erasmo de Roterdã
- *Linguagem corporal em 30 minutos*
  Monika Matschnig
- *Utopia*
  Thomas Morus